بسم الله الرحمن الرحيم

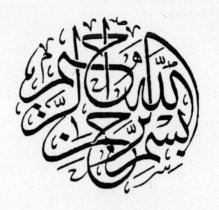

سن فلاور

افسانے

ابدال بیلا

سنگِ میل پبلی کیشنز، لاہور

891.4393 Bela, Abdaal
Sun Flower/ Abdaal Bela.- Lahore :
Sang-e-Meel Publications, 2014.
207pp.
1. Urdu Literature - Short Stories.
I. Title.

2014ء
افضال احمد نے
سنگ میل پبلی کیشنز، لاہور
سے شائع کی۔

ISBN-10: 969-35-2771-2
ISBN-13: 978-969-35-2771-1

Sang-e-Meel Publications
25 Shahrah-e-Pakistan (Lower Mall), Lahore-54000 PAKISTAN
Phones: 92-423-722-0100 / 92-423-722-8143 Fax: 92-423-724-5101
http://www.sang-e-meel.com e-mail: smp@sang-e-meel.com

حاجی حنیف اینڈ سنز پرنٹرز، لاہور

انتساب

ممتاز مفتی

اشفاق احمد

اور

شفیق الرحمان

کے نام

سن فلاور

ابدال بیلا

ترتیب

افسانے

سورنگی

ابدال بیلا ایک سورنگی ہے۔

سرتیوں، سمرتیوں کی اس قدر بھرمار ہے کہ جذبے کی ایک ہلکی سی چھیڑ سے نغمے کا ایک طوفان چھڑ جاتا ہے اور فضا تاثر سے بھر جاتی ہے۔

بیلا نے افسانہ نویسی کا آغاز روایتی افسانے سے کیا تھا۔ اپنے دوسرے مجموعے ''سن فلاور'' میں وہ پوئیٹک بلندیوں پر آ پہنچا ہے۔ ظاہر ہے کہ اس دوران میں وہ اس عظیم مشاہدے سے سرشار ہوا ہے جو زندگی کا ماحاصل ہے۔

بیلا کی زندگی میں ایک سورج طلوع ہوا ہے جس نے اس پھول کا ''مکھ'' زمین سے ہٹا کر افق کی جانب موڑ دیا ہے۔

بیلا کی ''سورج کی مکھیاں'' دراصل رنگین جذبے کی آپ بیتیاں ہیں۔

جو ''میں'' کی کثافت سے ابھر کر ''تو'' کی لطافت میں نکھرتی ہیں۔

اور قاری کو ایک بے نام، مگر لطیف تاثر سے بھگو دیتی ہیں۔

بیلا ایک حرکت ہے، مسلسل حرکت۔

رخ سے بے پرواہ۔

منزل سے بے نیاز، آوارہ۔

جسے ابھی قیام نصیب نہیں ہوا۔

رنگ و آہنگ سے بھرپور ایک جذبہ تخلیق راستے کی تلاش میں سرگرداں۔

اجالے اندھیروں سے جدا ہو رہے ہیں۔

بیلا کا جانے پہچانے راستوں پر گامزن ہونے سے گریز

انفرادیت کا جنون۔

اور جذبہ تلاش۔

پتہ نہیں، بالآخر اسے کہاں لے جائیں۔

ایک بات یقینی ہے کہ بیلا کی تخلیقی تڑپ، مخلص اظہار، مثبت زاویہ نظر اور طبعی رنگ رس۔ ایک روز اسے دنیائے ادب میں ایک اونچے منفرد مقام پر لا کھڑا کریں گے اور وہ دن دور نہیں۔

ممتاز مفتی

دسمبر ۱۹۸۷ء

ققنس

ابدال بیلا نے اردو افسانے کو نہ صرف نئی زندگی دی ہے، بلکہ اس میں ایک نئی مساحت (DIMENSION) کا اضافہ بھی کیا ہے۔

یہ رخ مہمل اور لایعنی سے دانش کے استخراج کا ہے۔ یہ ایسا عمل ہے جو ابدال کی شعوری کوشش سے وجود میں نہیں آتا بلکہ اس کی روح کے چلن سے پیدا ہوتا ہے۔

جیسے صحراؤں میں ہزاروں سال گرمی پڑنے سے کہیں کہیں آبگینے پیدا ہو جاتے ہیں

صبح کے وقت چمکتے ہوئے بلور

شام کو جل کر پھٹتے ہوئے آبلے

ڈاکٹر ابدال بیلا کے ساتھ ہماری بڑی توقعات وابستہ ہیں

اب کی بار یہ توقعات پوری نہ ہوئیں تو اردو افسانے کو ''ققنس'' کی طرح پھر سے جنم لینا پڑے گا۔

اشفاق احمد

اپریل ۱۹۷۹ء

فیبل کی وادی

ابدال بیلا کی پہلی کتاب پڑھنے کے بعد میں نے مصنف کے رخ کی جونشاندہی کی تھی اس میں تھوڑی سی تبدیلی واقع ہوگئی ہے۔ لیکن یہ تبدیلی اس خوشگوار اور خوش آئند جہت کی طرف اشارہ کرتی ہے۔ جس سے تخلیقی عمل سرعت پذیر ہوکر ایک نئے آہنگ سے ہمکنار ہوتا ہے۔

ابدال بیلا اپنے پہلے افسانوں کی اشاعت کے بعد اب فیبل کی وادی میں اتر گئے ہیں۔ فیبل میں راسیں سنبھال کے رکھنا بڑے جوکھوں کا کام ہے۔ اس میں بڑے بڑوں کے تہے کمزور پڑ جاتے ہیں۔ لیکن حیرت کا مقام ہے کہ ابدال نے پہلے ہی رابطے میں اپنا لوہا منوالیا ہے اور اردو فکشن میں جدید کہاوتی افسانوں کا گراں بہا اضافہ کیا ہے۔

یہ افسانے مصنف کے گہرے مطالعے اور وسیع مشاہدے کے آئینہ دار ہیں اور ان میں زندگی کو ملفوت کر لیتے ہیں۔ میں ایک مرتبہ پھر کہوں گا کہ فکشن کی دنیا میں ڈاکٹر

ابدال بیلا سے ہماری بڑی توقعات وابستہ ہیں اور مجھے یقین ہے کہ وہ ان توقعات پر پورے اتریں گے۔

اشفاق احمد

مارچ ۱۹۸۷ء

گم گشتہ جنت

""سن فلاور"" کے افسانے علامتی ہیں۔
اکثر کہانیاں دو کرداروں کے گرد گھومتی ہیں۔
جن کے تجربات ذاتی ہونے کے ساتھ اجتماعی بھی ہیں۔
مصنف بیک وقت حقیقت پسند بھی ہیں اور انھیں رومان پرور، تخیل پرست بھی کہا جا سکتا ہے۔ وہ مایوسی کے عالم میں بھی ""گم گشتہ جنت"" یا ""ارضِ موعود"" تک پہنچنے کی امید رکھتے ہیں۔
کفایت لفظی ان افسانوں کی ایک اور خصوصیت ہے۔

شفیق الرحمٰن

۱۶۔ اگست ۱۹۸۷ء

چھوٹا بھائی

اپنی تحریر کی مانند ابدال بیلا کی شخصیت بھی اتنی معصوم سادہ اور پرکشش ہے کہ آپ اس سے محبت کیے بغیر رہ نہیں سکتے۔

وہ اچانک آئے گا اور آپ کو فتح کر لے گا۔

اچانک چلا جائے گا۔ اور آپ اس کی باتوں کی خوشبو کے سحر میں مقید اس کے بارے میں سوچتے رہ جائیں گے۔

مجھے وہ ایک چھوٹے بھائی کی مانند عزیز ہے۔ سو اس کے فن کے بارے میں میرا کچھ کہنا اقربا پروری کی زد میں آئے گا لیکن اتنا کہے بغیر نہیں رہ سکوں گا کہ جو کچھ اور جیسا وہ لکھتا ہے۔ اس سے پہلے اردو ادب میں، میں نے نہیں پڑھا۔

خالد شریف

فروری ۱۹۸۷ء

انوکھی دھنک

یہ کہے بغیر رہا نہیں جاتا کہ ابدال بیلا نے اردو افسانے کو ایک نئی جہت سے آشنا کیا ہے اور یہ اس کی تخلیقیت کی سب سے بڑی دلیل ہے۔ سادہ الفاظ کی مدد سے زندگی کو نئے رخ سے ترتیب دینا، اس کے اظہار کا کمال ہے۔ ''بند مٹھی'' کی ابتدا یوں ہے۔

''میں ایک مٹھی میں بند غبار تھا۔
اور مجھے علم تھا کہ ذرا سی مٹھی کھلی تو میں اڑ جاؤں گا۔
مگر جس کی مٹھی تھی۔
اس نے مجھے پانی سے گوندھا۔
مٹی چکنی تھی۔
جدھر وہ موڑتا میں مڑ جاتا......''

شیکسپیئر نے ''ایز یو لائک اٹ'' میں انسان کی زندگی کے سات روپ مرحلے

بتائے ہیں۔ ابدال بیلا نے ''بند مٹھی'' میں دو مرحلوں کا اضافہ کیا ہے۔ یہ اس کے ''اپج'' کی واضح علامت ہے۔

افسانہ ''سن فلاور'' آپس میں محبت کرنے والوں کے باہمی تعلق اور مختلف رویوں کا سادہ مگر دلکش اظہار ہے۔ ''کرائے کا مکان'' زندگی کی بے ثباتی کا پرتاثر اظہار ہے۔ ''غبارا'' مستعار سانسوں سے وجود کے قرار کا احساس دلاتا ہے۔ ''حماقت'' معیار زندگی کی دوڑ میں خود زندگی کی دلکشی کو فراموش کر دینے کا عنوان ہے۔

ابدال بیلا کی اس ''انوکھی دھنک'' میں چھیالیس رنگ ہیں۔ سارے کے سارے ایک دوسرے سے الگ، کوئی شوخ اور کوئی ہلکا لیکن سادہ کوئی نہیں۔

ماہنامہ ''رابطہ'' انٹرنیشنل

اکتوبر ۱۹۹۰ء

سن فلاور۔ عہد حاضر کا صحیفہ

''سن فلاور'' ایک غیر معمولی ذہین اور جینئس کا لکھا ہوا عہد حاضر کا تحیر کن، وجد آفریں صحیفہ ہے۔ جس میں اعیان (Ideas) کی رفعت، عظمت اور قطعیت عقل کو اپیل کرتی ہے مگر بات کہنے کا انداز حسی پیکروں سے بھرا، شدید جذبوں سے مغلوب اور تخیل آفریں ہونے کے باعث نظمیہ ہے۔

کہانیوں میں بصیرت افروز، سیدھی سادھی باتیں، حکایات، کہاوتیں اور علامتوں کا ایک باقاعدہ مربوط نظام ہے۔ جو مجردات اور ان کے روابط کو حتیٰ الامکان صحت کے ساتھ مقرون اشیاء، اشخاص اور واقعات کی شکل میں پیش کرتا ہے۔ یہ گویا اردو ادب میں پہلی بار تمثیلی اور تصوراتی، مجردات کی نمائندہ طبع زاد ''الیگری'' (ELLEGORY) ہے جو برصغیر پاک و ہند میں اس سے پہلے کسی نے پیش نہیں کی۔

''الیگری'' میں ہمیشہ اخلاقی قصے ہوتے ہیں۔ اقدار اعلیٰ (HIGHER VALUES) کی باتیں ہوتی ہیں۔ ''سن فلاور'' میں ''ابدال بیلا'' نے چھوٹی چھوٹی کہانیوں اور

کہاوتوں کے پیرائے میں فیبل کی وادیوں میں سفر کیا ہے۔ جمالیاتی حسن کے ساتھ رومانیت سے بھرے، موسیقی سے لدے لفظوں کے ساتھ دلوں سے باتیں کی ہیں۔ یہ باتیں رمزیہ انداز، اکتسابی طرز، منطقی اظہار اور نظمیہ پیرائے میں ہیں۔ ان باتوں میں ماضی، حال اور مستقبل کی باتیں ہیں۔ انہی باتوں سے بولتی یہ کتاب حکمت آموز ہی نہیں، حیران کن بھی ہے۔ حیرانی کی بات اس کتاب میں موجود منفرد انداز کا فلسفہ ہے۔ اس قدر حسین، دلکش، میٹھا اور ہلکا پھلکا فلسفہ کہ اس کا بھاری پن محسوس ہی نہیں ہوتا۔

''سن فلاور'' دیکھنے کو ''ابدال بیلا'' کے مختصر افسانوں کا ایک خوبصورت اور خوشنما گلدستہ ہے اور سمجھنے کو عقل وخرد سے بھری ہوئی ''انوکھی زنبیل''۔ گلدستے میں بظاہر ایک ہی رنگ اور نسل کے پھول چنے گئے ہیں یعنی سورج مکھی کے پھول۔ جن میں ایک سورج ہوتا ہے دوسرا مکھ۔ مگر اس زنبیل میں ہر مرض کی دوا، ہر موضوع کی جھلک، ہر طرح کا ذائقہ اور ہر مشکل کا ''اسم اعظم'' موجود ہے۔ انسان کی تخلیق، موت، موت کے بعد کی زندگی، تنہائی، تلاش، ملاپ، انا، جدائی، محبت اور انصاف ان کہانیوں کے خاص موضوعات ہیں۔

لفظ ''سن فلاور'' ہمارے سورج مکھی کا انگریزی مترادف ہے۔ سورج مکھی کی خاصیت یہ ہے کہ یہ اپنا چہرہ سورج کی طرف رکھتا ہے۔ جدھر سورج جاتا ہے یہ اپنا رخ ادھر موڑتا رہتا ہے۔ یا یوں کہیے کہ جدھر یہ مڑتا ہے سورج ادھر ہی جاتا ہے، یوں انگریزی لفظ ''سن فلاور'' یعنی ''سورج پھول'' معنویت کے لحاظ سے دوہرا پن پیدا کر دیتا ہے۔ ابدال بیلا نے سورج مکھی کی بجائے ''سن فلاور'' نام رکھ کر بڑی معنی خیزی پیدا کر لی ہے۔ یعنی معلوم ہی نہیں ہوتا کہ پھول کون ہے اور سورج کون۔ آپ سورج کو پھول کہہ سکتے ہیں اور پھول کو سورج۔ دونوں ہی ایک دوسرے کو تکتے ہیں۔

''سن فلاور'' کے افسانے بظاہر اپنے رنگ اور روپ سے ایک جیسے ہیں یعنی ''اساطیری اسلوب'' کے حامل، لیکن موضوع کے حوالے سے سب مختلف۔ ایک دوسرے سے جدا۔

ان افسانوں کا اسلوب اس قدر دلنشیں ہے کہ یوں محسوس ہوتا ہے کہ کسی داستان سرائے میں بیٹھا کوئی قصہ گوئی کے فن سے آشنا ''کوی'' حیران کن انکشافات کا ڈھیر لیے موسیقی کی لہروں پہ حکایات بیان کر رہا ہے۔ ان افسانوں میں ماضی حال اور حال ماضی میں گڈ مڈ ہوتا محسوس ہوتا ہے۔ جو ایک واضح اور روشن مستقبل کی نشاندہی بھی کرتا ہے اور یہی افسانہ نگار کا نقطہ نظر ہے۔

ابدال بیلا نے تاریخ، سماج، مذہب اور سیاست کے بارے میں جو نتائج اخذ کیے ہیں وہ صرف مطالعاتی رائے نہیں بلکہ اس کی عملی سوجھ بوجھ اور ذاتی فہم و دانش کے آئینہ دار ہیں۔ چنانچہ ہم کہہ سکتے ہیں کہ ''ابدال بیلا'' کی جدیدیت اس کے گہرے تقاضتی تشخص کا پرتو ہے، موجود سے لامحدود تک کا اس کا سفر، بیک وقت بیرونی سفر بھی ہے اور اندرونی سفر بھی، یہ سفر کہیں سند باد جہازی کی طرح سمندر کی خبر دیتا ہے، کبھی یہ ہمیں تخت طاؤس پہ بٹھا کر ہواؤں میں اڑاتا پھرتا ہے، کبھی ہمیں ان وادیوں میں قدم قدم لیے پھرتا ہے، جن پہ آسیب کا سایہ ہے۔ کبھی یہ ہمیں اٹھا کر دیومالائی دیس میں لے جاتا ہے، جہاں دیوتا بولتے ہیں اور دیوداسیاں پھول چنتی پھرتی ہیں۔ یہ کتاب اندر اور باہر کا ایک ''انوکھا حکمت آگاہ'' سفر ہے۔ یہ سفر مہماتی سفر ہے۔ جو ''اسم اعظم'' کو جانے بغیر طے نہیں کیا جا سکتا اور اسم اعظم بین السطور موجود ہے۔

''ابدال بیلا'' موجودہ دور کا ایسا ذہین داستان گو ہے جو دنیائے بسیط میں ہمیں ہر نئے دن چڑھے ایک تازہ اور شگفتہ ''سورج مکھی'' ہی نہیں لا کر دیتا بلکہ ہمیں ''اسم

اعظم'' بھی بتاتا ہے۔

جیسا کہ اس کے افسانے ''بند مٹھی'' میں زندگی کے سفر کا حوالہ ایک ''بھٹکن'' کے طور پر آتا ہے۔ یہی ہمارے صحیفوں میں بھی لکھا ہے۔ ''میکاولی'' نے انسان میں قسطائیت کے فلسفہ کو ایک نئی جہت دی اور انسان کی بنیاد ''بھٹکن'' ٹھہرائی۔ ''ابدال بیلا'' نے اس بھٹکن کو پرکشش ضرور سمجھا مگر اسے انسان کے خمیر کا واحد جز و قرار نہیں دیا۔

میکاولی مطلق العنان حکومت کے قیام کے لیے تمام اخلاقی، مذہبی، انسانی اور جمہوری اخلاقیات کو یک طرف کر کے ایک مضبوط ریاست قائم کرنے کا سبق دیتا ہے اور ''ابدال بیلا'' کے ''سبق'' میں ''میکاولی'' کے اسی فلسفے پہ طنز ہے، جس میں ریاست سازی کے لیے ہر بڑے ظلم کو جائز اور روا رکھا جاتا ہے۔ ''ابدال بیلا'' نے اسے ''انا پرستی'' کا نام دیا ہے، جس کا غلام ہو کر انسان، بندے سے ''فرعون'' بن بیٹھتا ہے۔

آج کی انسانی زندگی ایک معمہ، ایک الجھن بن کر رہ گئی ہے کہ اسے بوجھنے یا سلجھانے کی بجائے ہم اس سے ڈرنے لگے ہیں۔ ہر انسان دوسرے انسان سے خوف زدہ ہے۔ ڈرا ہوا اور سہما ہوا۔ اسی احساس خوف سے وہ اپنی انا سے اس قدر لپٹ جاتا ہے کہ وہ انا کا غلام بن جاتا ہے اور یہی غلامی اسے انسان سے فرعون بنا دیتی ہے۔ دنیا کے تمام آمر اور ڈکٹیٹر اسی ''انا'' یعنی خود پرستی سے لپٹے ہوئے دکھائی دیتے ہیں۔

''آؤٹ آف فاکس'' کا موضوع بھی ''انا'' ہے لیکن اس میں ''انا'' EGO خود یعنی SELF کو پہچاننے کا نام ہے۔ یہ پہچان انسان میں عجز اور انکساری لاتی ہے۔

سقراط نے ہمیں پہلی بار مادی فطرت کی بجائے انسانی فطرت پر غور کرنا سکھایا۔ اس غور و فکر کا مقصد ان اخلاقی الجھاؤ کو سلجھانا تھا جو انسان کے اپنے آس پاس نظر آتے ہیں۔ اس غور و فکر کا اہم نتیجہ یہ نکلا کہ علم کے شجر کا پھل نیکی ہے۔ جب انسان کی نگاہ مادی فطرت سے انسانی فطرت پر پڑی تو اس نے تقدیر اور تدبیر کے مسئلے پر غور

شروع کیا۔

''ٹوٹے ہوئے تارے''میں فلسفہ ہے کہ دنیا میں آنے سے پہلے روحوں کا ایک اجتماع ہوا تھا جس کی بنیاد پر تقدیر بنی، جبکہ ''کرائے کا مکان'' میں روح اور جسم کے فلسفہ کو تصوف کے انداز میں بیان کرتے ہوئے کہا ہے کہ جسم ایک عارضی ٹھکانا ہے اصل بات تو روح ہے۔

''کسب کمال کن'' میں آج کے دور کے فنکار کے المیے کو بڑی دردمندی اور ہنر کاری سے بیان کیا ہے۔

''پھول مسہری'' میں حضرت ابراہیم ادھم کی حکایت کو سلجھایا ہے۔ جس میں ایک کنیز ہر روز پھولوں کی مسہری تیار کرتی ہے۔ ایک بار وہ یہ سوچ کر لیٹ جاتی ہے کہ اس پر نیند کیسی آتی ہے۔ اس طرح اسے سچ مچ نیند آ جاتی ہے۔ بادشاہ کنیز کو پھولوں کی مسہری پر سوتا دیکھ کر اس قدر برہم ہوتا ہے کہ اسے سخت سزا دیتا ہے۔ کنیز سوچتی ہے کہ میں نے ایک رات سونے کی، اتنی سزا پائی ہے۔ اس کی سزا کیا ہوگی جس نے پھولوں کی مسہری پر زندگی گزار دی۔ تصوف اور فلسفے کو بیان کرنے کے لیے اس سے خوبصورت حکایت بیان نہیں کی جاسکتی۔

''ڈاکٹر ابدال بیلا'' نے تاریخ، فلسفہ، مذہب اور تصوف کے ساتھ سیاست اور ریاست کو بھی اپنا موضوع بنایا ہے۔ اس کی مثال ''چڑیا گھر'' اور ''گیلی مٹی'' افسانوں سے دی جاسکتی ہے۔ آزادی اور غلامی کے تصور کے لیے ''چڑیا گھر'' ایسا انوکھا علامتی اور تخیلی افسانہ ہے کیونکہ کھلی فضا میں رہنے اور اڑنے والے پرندے بھی بند پنجروں میں دیر تک رہنے سے آزادی کا تصور بھول جاتے ہیں۔ وہ اس قید کے اس قدر عادی ہو جاتے ہیں کہ انھیں پنجرے کے باہر والے قید میں دکھائی دیتے ہیں۔

جنوبی ایشیا میں مسلمانوں کے قومی تشخص کے لیے پاکستان کا وجود ناگزیر تھا۔

اس کو قائم کرنے کے لیے لاکھوں جانیں قربان کی گئیں۔ بے بہا خون بہایا گیا تاکہ خیر اور شر کے درمیان ایک مضبوط اور پائیدار فصیل قائم ہو سکے۔ جو قائم رہے۔

لیکن ہم نے اس دیوار میں ادھر ادھر جھانکنے کے لیے سوراخ بنا ڈالے، مسلسل تانک جھانک سے یہ سوراخ، شگاف کی صورت اختیار کر گئے ہیں۔ اب اس میں انگلی ٹھونکنے کی بجائے سر کو رکھنے کی ضرورت ہے، لیکن سوال یہ ہے کہ سر کی قربانی کون دے؟ یہ بیان ہے ''گیلی مٹی'' نام کے اس افسانے کا جس کی بنیاد ایک ولندیزی لوک کہانی پر رکھی گئی ہے۔ ''وطن دوستی'' کا یہ ایک مثالی افسانہ ہے، جو اس سے پہلے اس وطن میں، وطن کے لیے کسی نے نہیں لکھا۔ وطن دوستی کا حق ادا کرنے کے لیے ابدال بیلا نے ''گیلی مٹی'' میں ''اسم اعظم'' بھی بتا دیا۔ وہ ہے ''قربانی'' وطن کے لیے قربانی۔

اسی طرح ابدال بیلا کے ہر افسانے میں ''اسم اعظم'' بتانے کی کوشش کی گئی ہے، جس کے سہارے ہم اپنی زندگی کا سفر صرف طے ہی نہیں کرتے بلکہ زندگی کی ان مہمات میں کئی خطروں سے نجات بھی پا لیتے ہیں۔

اپنی تحریروں کی طرح، ابدال بیلا کی شخصیت بھی بڑی جاذب۔ بہار آگیں، پر شکوہ اور پر تاثیر ہے۔ بقول ''خالد شریف'' کے

> ''اپنی تحریر کی مانند ابدال بیلا کی شخصیت بھی اتنی معصوم، سادہ اور پرکشش ہے کہ آپ اس سے محبت کیے بغیر رہ ہی نہیں سکتے۔ وہ اچانک آئے گا اور آپ کو فتح کر لے گا۔ اچانک چلا جائے گا اور آپ اس کی باتوں کی خوشبو کے سحر میں مقید اس کے بارے میں سوچتے رہ جائیں گے۔''

لمبے قد کاٹھ کے اس وجیہہ، مضبوط، جواں دانشور نے دکھی انسانیت کی مسیحائی کا پیشہ اختیار کیا ہے۔ ڈاکٹر بن کے اس نے ملک کی سرحدوں کی نگہبانی میں اپنے حصے کا

پہرہ دینے کے لیے پاکستان فوج کا انتخاب کیا اور اپنی غیر معمولی بیدار مغزی، ذہانت اور روشن تدبیری کے باوصف چند بیماروں کی نبض پہ اپنی انگلیاں رکھنے کی بجائے انسانیت کی اجتماعی نبض پہ انگلیاں رکھ دیں اور علم و ادب کی دنیا میں نکل آیا۔ علم دوستی کا یہ حال ہے کہ اپنی شاندار پیشہ وارانہ ذمہ داریوں کے ساتھ ساتھ علم کے کئی میدان سر کر لیے۔ ابلاغیات، جنرل ازم، انتھراپالوجی، تاریخ، بزنس ایڈمنسٹریشن اور کمپیوٹر پراگرامنگ میں بھی تعلیم حاصل کی۔ اپنے گھر میں اُس نے پوری ایک لائبریری بنائی ہوئی ہے۔ جہاں ہر موضوع پہ کتاب دستیاب ہے۔ حالانکہ گھر سرکاری ہے، گھر بھی بدلتا رہتا ہے، شہر بھی اور علم کے خزانے ساتھ ساتھ اٹھائے پھرتا ہے۔

طالب علمی کے دور میں ہی ابدال بیلا نے افسانہ نگاری شروع کر دی تھی۔ ۱۹۷۹ء میں جب اس کے افسانوں کا پہلا مجموعہ شائع ہوا تو اس میں ملک کے ممتاز ترین ادیبوں کی آراء شامل تھی۔ ممتاز مفتی، اشفاق احمد اور احمد ندیم قاسمی تینوں سپہر آشنا اور صائب رائے دانشوروں نے بیلا کی تحریروں پہ تحسین و آفرین بھیجی۔ ''ممتاز مفتی'' نے کہا کہ کتاب پڑھ کر ''حیرت'' کا جذبہ پیدا ہوا، انہوں لکھا کہ ابدال کی تحریر میں اتنی پختگی ہے، روانی ہے، رنگینی ہے اور کلاسیکی رنگ ہے کہ کسی نوجوان طالب علم سے یہ توقع ممکن ہی نہیں۔ انہوں نے برملا کہا کہ ابدال بیلا کو خدا نے ''غیر معمولی صلاحیتوں'' کا مالک بنایا ہے۔ ابدال بیلا پر لکھے اپنے مضمون ''مونچھ مروڑ'' میں مفتی جی ابتدا ہی میں کہتے ہیں کہ ابدال بیلا کی ذہنی عمر اس کی جسمی عمر سے تقریباً دوگنی ہے۔ ممتاز مفتی اپنے عہد کے بہت بڑے نفسیات دان بھی ہیں۔ ان کی یہی بات ابدال بیلا کو ''جینئس'' ثابت کرنے کے لیے کافی ہے۔ حالانکہ انہوں نے یہ رائے ''سن فلاور'' کی اشاعت سے کئی سال پہلے، بیلا کی پہلی کتاب پڑھ کر دی تھی۔ سن فلاور کے بارے میں مفتی جی کہتے ہیں کہ بیلا اس میں ''پیوٹک بلندیوں'' تک پہنچ گیا

ہے۔ یہ شاعری کی اس رفعت کی طرف اشارہ ہے جس پہ آج تک خال خال نثر نگار کو ٹھہرے دیکھا ہے۔

''اشفاق احمد'' نے ابدال بیلا کی پہلے پہل کی تحریروں کو دیکھ کر ہی ۱۹۷۹ء میں کہہ دیا تھا کہ

''ابدال بیلا نے اردو افسانے کو نہ صرف نئی زندگی دی ہے بلکہ اس میں ایک نئی مساحت (DIMENSION) کا اضافہ بھی کیا ہے۔ یہ رخ، مہمل اور لایعنی سے دانش کے استخراج کا ہے۔ یہ ایسا عمل ہے جو ابدال کی شعوری کوشش سے وجود میں نہیں آتا، بلکہ اس کی ''روح کے چلن'' سے پیدا ہوتا ہے۔ انہوں نے یہاں تک کہہ دیا کہ ابدال بیلا سے اردو افسانے کی امیدیں وابستہ ہیں ورنہ اردو افسانے کو ققنس کی طرح پھر سے جنم لینا پڑنے لگا۔''

۱۹۷۹ء میں ابدال بیلا ایک طالب علم تھے۔ نو آموز افسانہ نگار کے بارے میں اتنا برا دعویٰ، اتنی بڑی بات، اتنے بڑے دانش ور کے قلم سے نکلی، کیسی سچ ثابت ہوئی۔ ابدال بیلا کے ''روح کے چلن'' کے مشاہدہ کے لیے اس کتاب کی پہلی کہانی ''بند مٹھی'' کافی ہے۔

''سن فلاور'' میں ابدال بیلا نے جدید افسانے میں نئے تجربے کیے ہیں اور بڑی جرأت اور دلیری کا ثبوت دیا ہے کہ افسانے کی ہیت میں ہی تبدیلی نہیں کی بلکہ اس کی لسانی تشکیل بھی کی ہے۔ اس کتاب میں اس نے افسانہ نگاری میں ''دانش کے استخراج'' کی ایک نئی تاریخ مرتب کی ہے اور حیرت کی بات ہے اس کتاب کی تخلیق سے کئی برس پہلے ممتاز دانشور ''احمد ندیم قاسمی'' نے بیلا کی پہلی کتاب پر رائے دیتے

ہوئے یہ انکشاف کر دیا تھا کہ ابدال بیلا ایک حوصلہ مند نوجوان ہے جو افسانہ سنانے کے کسی ایسے اسلوب کی جستجو میں ہے جو منٹو، کرشن چندر اور بیدی کے انداز سے مختلف بھی ہو اور خوب سے خوب تر بھی۔

ابدال بیلا کی کہانیوں میں جو کہاوتیں ہیں، ان میں وزڈم ہے، دانش ہے، موسیقی ہے۔ جملوں کی ترتیب، تشکیل، بیان کی شعریت، جمالیاتی حسن اور تخیل کی بلندی سارا کچھ ہے۔ نثر کے جملوں کو شعرانہ انداز میں اس طرح تراشنا کہ لفظ کے معنی اور مفہوم تحیر کن تخلیق بن جائے اور ذہنوں کی آبیاری کرے، عقل کو براہ راست مخاطب کرے تو وہ نثر ''صحیفوں'' کی زبان بن جاتی ہے۔ ایسی کہی باتیں ''کوٹیشنز'' بن جاتی ہیں۔ ایسا ہی رنگ ''ٹیگور'' کی شاعری میں ملتا ہے۔ ایسی ہی فضا ہمیں ''خلیل جبران'' کی تحریروں میں نظر آتی ہے اور یہی رنگ و آہنگ اسلامی فلسفے اور انسانی جبلتوں کی زبان بن کر ابدال بیلا کی اس ''سن فلاور'' میں بھرا پڑا ہے۔

''کہاوتیں'' کسی بھی قوم کی اجتماعی دانش اور حکمت کا مظہر اور تہذیب و معاشرت کا جیتا جاگتا نمونہ ہوتی ہیں۔ ان کے اندر بزرگوں کے تجربات اور دانش مندوں کی فکری جلوہ گری ہی نہیں ہوتی بلکہ الفاظ اور اسلوب بھی محفوظ ہو کر نسل در نسل جاری و ساری رہتے ہیں۔ کہاوت کے اندر زندگی کی پند و آموز حکایت یا تجربہ، اعجاز بیان کے ساتھ الفاظ کی خاص ترتیب و نشست کو بھی ملحوظ رکھا جاتا ہے۔ انسان کو زندگی کے ہر موڑ پر بہت سے تجربے حاصل ہوتے ہیں۔ ان میں سے بعض تجربات کا تعلق انفرادی کی بجائے اجتماعی زندگی سے بن جاتا ہے۔ یہیں سے ''کہاوت'' بننے کا عمل شروع ہوتا ہے۔

''ابدال بیلا'' نے ''سن فلاور'' میں کئی ایسے خوبصورت افسانے شامل کیے ہیں جن کی بنیاد نئے تجربوں اور نئی کہاوتوں پر رکھی گئی ہے۔ کچھ افسانوں میں پرانی کہی

کہاوتوں کو نئے لبادے اوڑھائے گئے ہیں۔ سبھی افسانوں پہ یہ بات صادر نہیں ہوتی۔ اس لیے کہا جا سکتا ہے کہ سن فلاور میں مواد ہی نہیں، ہیت کے تجربے بھی شامل ہیں لیکن یہ بات مسلم ہے کہ جس طرح ''خلیل جبران'' نے اپنی کتاب ''دی پروفٹ'' میں اپنے شاعرانہ افکار کو فلسفیانہ اسلوب میں پیش کیا ہے کہ یہ کتاب ''جبران'' کے فن کا نقطہ عروج سمجھی جاتی ہے۔ اسی طرح ابدال بیلا نے ''سن فلاور'' میں فلسفیانہ خیالات کو شاعرانہ اسلوب میں پیش کر کے اپنے افسانوں میں انسان کے انفرادی وجود سے تخلیقی سر چشمہ کو تلاش کیا ہے۔ یہ بیلا کے فن کا وہ کمال ہے جو اسے خلیل جبران سے بھی ممتاز کرتا ہے۔

موضوع کی ندرت اور فنکارانہ جامعیت کی بدولت ڈاکٹر ابدال بیلا نے جدید افسانہ نگاروں میں جس تیزی سے اپنا مقام اور نام پیدا کیا ہے۔ اس سے ظاہر ہوتا ہے کہ وہ اس سے بھی عظیم تر فن پارے تخلیق کریں گے۔

کنول مشتاق

جنوری ۱۹۹۳ء

پیش لفظ

پہلا ایڈیشن: مارچ ۱۹۸۷ء

دوسرا ایڈیشن: جون ۱۹۹۳ء

یہ میرے افسانوں کی دوسری کتاب ہے۔ چھ سال پہلے جب یہ کتاب پہلی بار شائع ہوئی تو مجھے پیش لفظ لکھنے کا خیال ہی نہ آیا۔ خیال تو آیا تھا۔ لکھنے کو کچھ نہ تھا۔ کہنے کو جو بھی تھا وہ کہانیوں کی صورت میں کتاب کے اندر ہی رکھ دیا تھا۔

اب جب کہ اس کتاب کی کہانیوں کے چار دوسری زبانوں: ڈینش، ہندی، سندھی اور پنجابی میں ترجمے ہو چکے ہیں۔ کچھ نہ کچھ کہنا ضروری لگتا ہے۔

اس کتاب میں کل چھیالیس کہانیاں ہیں۔ اکثر اتنی مختصر ہیں کہ ایک ڈیڑھ صفحے سے زیادہ نہیں۔ اس کتاب پر مجھے بڑے انوکھے تبصرے سننے کو ملے۔ اکثر لوگ اسے

شاعری کی کتاب سمجھنے لگے۔ لائبریریوں اور بک سٹالوں میں یہ کتاب شاعری کے شلفوں میں پڑی نظر آنے لگی۔ مجھے کیا اعتراض ہوسکتا تھا۔ مگر پڑھنے والوں نے ان کہانیوں کے ذائقے کو خلیل جبران، شیکسپئر، ٹیگور اور ساحر سے جا ملایا۔ میں پھر بھی چپ رہا۔

یہ کہانیاں ۱۹۸۰ء سے ۱۹۸۶ء تک کے میرے چھ سالوں پر محیط ہیں۔ اگر میں یہ بتا دوں کہ ان چھ سالوں میں، میں کیا کیا کرتا رہا، کہاں کہاں رہا، تو شاید ان کا بہتر ابلاغ ہوسکے۔

۱۹۸۰ء کے شروع میں، میں گریجویشن کے بعد، سرگنگا رام ہسپتال لاہور میں پروفیسر خالدہ عثمانی کے شعبہ جنرل سرجری میں رہا۔ جون ۱۹۸۰ء میں پاکستان آرمی میں کیپٹن کے عہدے پر کمیشن لیا۔ پھر تھوڑا تھوڑا عرصہ جہلم، راولاکوٹ (آزاد کشمیر) اور لاہور رہنے کے بعد فروری ۱۹۸۳ میں تبوک (سعودی عرب) چلا گیا۔ وہاں اپریل ۱۹۸۵ء تک رہتے ہوئے ان گنت عمروں اور حج کی سعادت حاصل کی۔ مدتوں اس دھول میں چلا، جہاں انسانیت کو راہ دکھانے والے مقدس قدم اٹھے۔ اس دھول میں اتنی روشنی ہے کہ وہاں اڑنے والا ایک ایک ذرہ آفتاب کی طرح دمکتا ہے۔ اس دھول نے میری بڑی تربیت کی۔

''تبوک'' میں میرا قیام ''آرمڈ کور'' کی ایک یونٹ میں تھا۔ آرمڈ کور کی سیاہ ٹوپیوں کے نیچے بڑے اجلے دل کے لوگ ملے: آسودہ خاطر، زندہ دل اور جی دار، وہاں میرے کمانڈنگ آفیسر ''خان طارق اقبال'' (برگیڈیئر) کی ہمہ جہت، زیرک، ذی اختیار اور پرسحر شخصیت، ''امتیاز شوکت امتیاز'' (برگیڈیئر) کی مہربان دمکتی کھنکتی مسکراہٹ: جسے دیکھ کے خون بڑھ جاتا، مسکراہٹ کی پرمغز باتیں، اسلم پنور (کرنل) کی دلچسپ منطق اور عمیق استدلال، میجر قدیر مرحوم کی پرلطف شاعرانہ طبیعت اور محمد

یوسف خان (میجر جنرل) کے طمانیت بھرے، حوصلہ افزاء شفیق مزاج کے علاوہ دیگر دوستوں کی محبتوں نے بھی میرے لفظوں کو نئے رنگ اور آہنگ دیئے۔

اس کتاب کا بیشتر حصہ بحر حال تبوک سے واپسی پہ، میں نے اپنے ان خطوط سے لیا تھا جو تبوک میں بیٹھ کر میں نے ''ڈاکٹر عفت'' کو لکھے تھے، جب ابھی وہ ڈاکٹری پڑھ رہی تھی۔ ان خطوں کا ڈھیر اتنا بڑا تھا کہ ایسی بیس اور کتابیں اس میں سے نکل سکتی تھیں۔ مگر مشرقی رسموں سے خوف زدہ، میری نیک راہ بیوی نے وہ ڈھیر سردیوں کے ایک خنک رات گھر کے آتش دان میں جلا کر ہاتھ سیک لیے، ڈھائی سال کے لکھے لاکھوں لفظ، کسی لدے بھرے پیڑ کے خشک پتوں کی طرح جلے۔ رات بھر جلتے رہے اور صبح راکھ کا ڈھیر بن گئے۔

۱۹۸۷ء میں، میں سیالکوٹ میں تھا، جب یہ کتاب پہلی بار ''ماورا پبلشرز'' سے شائع ہوئی۔ اس کتاب کی اشاعت کے لیے میں نے اپنے دیرینہ دوست ''قائم نقوی'' سے مشورہ کیا تھا۔ وہ مجھے ''خالد شریف'' کے پاس لے گئے۔ خالد شریف نے مجھے اپنا چھوٹا بھائی بنا لیا۔ میں انھیں بھائی جان کہنے لگا۔ اسی محبت میں یہ کتاب مارچ ۱۹۸۷ء میں پہلی بار شائع ہوئی۔ اس کتاب کا نام ''شفیق الرحمٰن صاحب'' نے تجویز کیا تھا۔

اس کتاب کی کہانیاں ۱۹۷۹ء سے ۱۹۸۶ء تک کے مختلف اخباروں اور ادبی رسالوں میں شائع ہوتی رہیں۔ کسی اخبار میں چھپنے والی میری پہلی کہانی ''آرٹ گیلری تھی۔'' جو بیدار سرمدی نے ۲۲ جون ۱۹۷۹ء کو ''نوائے وقت'' لاہور سے شائع کی۔ بعد میں مظہر الاسلام، عطاء الحق قاسمی اور حسن رضوی بھی ان کہانیوں کو بڑی محبت سے اپنے اخباروں میں شائع کرتے رہے۔

اس کتاب کے موجودہ ایڈیشن میں کہانیاں اسی طرح ہیں، اسی ترتیب سے ہیں اور اتنی ہی ہیں۔ صرف دو مضامین کا اضافہ ہے اور تیسرا ان سطور کا جو آپ پڑھ رہے ہیں۔

میں اپنے تمام محسنوں کا احسان مند ہوں۔

ان کا بھی جنہوں نے ان کہانیوں کا دوسری زبانوں میں ترجمہ کیا۔ مثلاً نصر ملک (ڈینش)، محبوب ظفر (ہندی)، نیاز ندیم کندہر (سندھی) اور شاہد حنائی اور کنول مشتاق (پنجابی)۔ ان کا بھی ممنون ہوں، جنہوں نے اس کتاب کے دوسرے ایڈیشن کی طلب کے لیے مجھے محبت بھرے خط لکھے۔

ابدال بیلا

مارچ ۱۹۹۳ء

پیش لفظ-II

۲۰۱۴ء

تنہائیوں میں پہلی بار
کسی کی آمد
رُخ تو موڑتی ہے
کبھی سورج کی نظر پھول کی طرف
کبھی پھول کا چہرہ سورج کی جانب
یہ انہی دنوں کی باتیں ہیں
جب سورج اُفق سے اُبھرا تھا۔
اور روح کے سورج کا پھول
اپنی گردن سے جڑے سر کو ہلانے لگا تھا۔
سورج کی آنکھ میں آنکھ ڈال کے
محبت سے تکنے لگا تھا۔
روح کے پھول کی نازک و کومل پیشانی
اپنے رنگوں کی تکمیل کے سفر میں

مہکنے لگی تھیں۔

وہ سفر جاری ہے۔

سن فلاور آج بھی لرزتا ہے۔

مہکتا ہے۔

سورج کی ایک تیکھی کرن سے۔

ابدال بیلا

12-ڈاکٹرز ٹاؤن، پی ڈبلیوڈی روڈ، او۔9، اسلام آباد

E-mail: abdaalbela@yahoo.com

افسانے

بند مٹھی

میں ایک مٹھی میں بند غبار تھا۔
اور مجھے علم تھا کہ ذراسی مٹھی کھلی تو میں اڑ جاؤں گا۔
مگر جس کی مٹھی تھی۔
اس نے مجھے پانی سے گوندھا۔
مٹی چکنی تھی۔
جدھر وہ موڑتا۔ میں مڑ جاتا
ایک کھلونا سا بن گیا
وہ مجھ بے جان کھلونے سے کھیلتا رہا۔
مگر شاید پھر اسے خیال آیا۔
کہ اب اسے کھیلتا ہوا دیکھے۔

اس نے چاہا کہ میں ہلنے لگوں

میں نے ہاتھ پاؤں مارنے شروع کردے۔

میری آنکھیں تھیں ہی نہیں۔

اس نے چاہا کہ دو آنکھیں ہوں۔ جن سے میں سب کچھ دیکھ سکوں سوائے اس کے۔

میری آنکھیں بن گئیں۔ مگر آنکھوں کے اندر باہر اندھیرا رہا۔ اس نے ان اندھیروں میں اپنی آنکھ کا تھوڑا سا نور بھر دیا۔ اندھیرے جگمگا اٹھے۔ آنکھیں بینا ہو گئیں۔ جو آس پاس تھا وہ دکھنے لگا۔ مگر اس دیکھنے سے پھر بھی کچھ سجائی نہ دیتا۔ سمجھ نہ آتا، آنکھیں ذہن کو کوئی پیغام نہ دیتیں۔ ذہن سے ہونٹوں کے لیے کوئی حکم نہ آتا۔ پھر ذہن بھی خالی تھا اور ہونٹ ابھی تھے ہی نہیں۔

اس نے مجھ سے کچھ کہلوانا تھا۔

کچھ سننا تھا۔ شاید شکریے کے دو بول۔

اس نے سوچا اور میرے ہونٹ بن گئے۔ ہونٹوں کے اندر حلق بن گیا۔ حلق میں اک زبان آ گئی۔ زبان ہلنے لگی تو حلق میں آواز بھر گئی۔

وہ کان لگا کر سننے لگا۔ سنتے سنتے وہ کچھ کہتا بھی جاتا۔

میں کیسے سنتا۔ میرے کان تو تھے ہی نہیں۔

اس نے مجھے کان بھی دے دیئے۔ مجھے سنائی دینے لگا۔

پھر میرے خالی ذہن کے ڈبے میں عقل بھر دی۔

کہ لو یہ تمہارے وجود کی راجدھانی ہے۔

راجدھانی میں راج کس کا ہوگا؟

جسے راج کرنے پہ قدرت ہوگی۔

کسے ہوگی؟

اس راجدھانی کی ملکہ، دانائی کو جو اپنے وزیر اور شہر حکمت استدلال کے ساتھ تاج سلطنت کی تابع ہوگی۔

تاجور کون ہوگا؟

دانش

یہ سب کیسے ملے گا؟

عقل سے، کہ یہ اس لیے تمہیں دی کہ جو بھی دیکھو، سنو، چکھو، چھوؤ، سونگھو اسے سوچ سکو۔

مجھے سوچنے پہ کیسے قدرت ہو۔ میں تو کٹھ پتلی ہوں، جو تم بھرتے ہو، مجھ میں بھرا جاتا ہے۔ میرے وجود کے اندر ایسی کوئی شے ہے ہی نہیں کہ جو میری پہلی سانس سے آخری سانس تک صرف میرے تابع ہو۔

ہے، ایسی شے بھی ہے۔ کہنے کو وہ تمہاری تابع ہے۔ تم تیز چلو گے، تو وہ بھی تیز چلے گا، تمہاری ہر ہر حرکت سے اس کی حرکت وابستہ ہوگی۔ تم اسے اپنا تابع ہی سمجھو گے۔ لیکن وہ ایسا ہوگا نہیں، ہاں جب تک تم ہو گے۔ وہ کام کرے گا۔ جب وہ تھک کے رک گیا، تو تم ہل نہ پاؤ گے۔ مگر ایسی الجھنوں میں کیوں پڑتے ہو۔ یہ میرے فیصلوں میں سے ہے۔ تم خود بھی تو میرا ارادہ ہو۔

مگر وہ ہے کیا؟

تمہارے سینے کے اندر رکھا گوشت کا ایک لوتھڑا۔

تیرا دل۔

کہاں ہے؟

لو، اس نے اشارہ کیا، اور دل بن گیا۔

مجھ میں شریانیں بنیں۔

ان میں گرم سیال خون بھرا گیا۔

دل نے خون کو گردش دی۔

کہ گردش سے دھڑکن رہے۔

اور دھڑکن سے نبض ہو۔

نبض زندگی کی پہچان رہے۔

پہچان میں دھوکا تھا۔خون بے رنگ تھا۔سارے رنگ تو ہواؤں میں تیرتی روشنی میں قید تھے۔میرے سینے میں ہواؤں نے یلغار کی۔ہواؤں کے رنگ خون میں بس گئے۔

میں نے پہلا سانس لیا۔

خون اور ہوا باہم پیوست ہو گئے۔

خون سرخ ہو گیا۔اس میں زندگی اچھلنے لگی اور زندگی نے میرے دل کے ہاتھ پر بیعت کر لی۔اسے یرغمال بنا لیا۔

عقل پریشان ہوئی۔

التجا کی۔یہ تو دھڑکی سر سے بے وفائی ہے۔ایسی ''بے وفائی'' کی گنجائش کیوں رکھی۔

آواز آئی۔

تا کہ تمہیں ''وفا'' کی سمجھ آئے۔

وفا کیا ہے؟

میری انگلی کو پکڑے رکھنا اور میرے ساتھ ساتھ چلتے چلنا۔

میں انگلی پکڑے چلتا رہا۔

بڑا ہو گیا۔

اور انگلی چھڑا کے بھاگ گیا۔

میں نے جانا کہ میری ٹانگوں کے نیچے دو پیر ہی نہیں۔پہیے لگے ہیں۔

اور میرے ہاتھ بہت لمبے ہیں۔ میں نے شہر کے سارے ممنوعہ علاقے چھان مارے۔ جو نام تم نے سڑکوں کو دیئے تھے، وہ میں نے بدل دیئے۔

اپنی زندگی کا نیا اک منشور بنایا۔

جس میں صرف راحتیں تھیں۔ آرام تھا۔

صرف میرے لیے سکوں تھا اور ساری دنیا میری تابع تھی۔

میری سوچ صرف مجھ تک رہ گئی۔

میری نظر میری آنکھوں کی بینائی تک محدود ہوگئی۔

بہت عرصہ گزر گیا۔

میری ٹانگوں کے نیچے گھومنے والے پہیے دھیرے دھیرے گھسنے لگے۔

ان کی گراریاں جام ہوگئیں۔

زنگ لگ گیا۔

پھر ایک دن مجھے محسوس ہوا کہ اب تو ٹانگوں کے نیچے دو پیر بھی نہیں۔

میں چلنے کی بجائے رینگنے لگا۔

تب اچانک تم پھر کہیں قریب آ گئے۔

شاید تم پہلے سے وہیں تھے۔ مگر مجھے تمھاری موجودگی کا احساس ہوگیا۔

تم نے مجھے دیکھ کر اپنی آنکھوں میں آنسو بھر لیے۔

اتنا عرصہ تم کیوں نہ ملے۔ میں اکیلا پھرتے پھرتے تھک گیا۔ گم ہوگیا۔

تم نے کہا۔ ہر راستے پہ میں تمھارا ساتھ کیسے دیتا۔

پھر تم نے میرے پیروں کے نیچے گول پہیے کیوں لگائے۔ جو ہر طرف گھوم سکتے۔ مڑ سکتے۔

تم نے کہا۔ تاکہ تمھیں مڑنے کا سلیقہ آئے اور صحیح راستے پہ چلنے سے منزل ملے۔

مگر میری منزل تو گم ہوگئی تھی اسی دن۔ جس دن میں نے تمھاری انگلی چھوڑی تھی۔ نجانے میں تنہا کتنا چلا۔ کہاں کہاں چلا۔

تم جان جاؤ گے۔

کیسے؟

تمھارے پہیوں کے ساتھ ایک سپیڈو میٹر بھی لگا تھا اور ایک سمت نما بھی۔ تم جتنا چلے۔ جدھر چلے۔ سب ریکارڈ ہوتا رہا۔

جو کہا۔

جو سنا

جو دیکھا

جو دیکھایا، سب محفوظ ہوتا گیا۔

تم ڈرا رہے ہو۔

میں صرف بتا رہا ہوں۔

اب میں کیا کروں؟

اپنی غلطیوں کا اعتراف

مگر مجھے بنایا کیوں تھا۔ میں تو اس وقت بہتر تھا، جب تمھاری مٹھی میں بند تھا۔ کیوں اپنی مٹھی کھولی۔

ایسا ہونا ضروری تھا۔ اس لیے کہ میں ''تنہا'' تھا

میں نے چاہا کہ ''جانا'' جاؤں۔

میں گم نام تھا

میں نے چاہا کہ ''پہچانا'' جاؤں۔

میں خشک مٹی تھا، جس میں خزانہ چھپا ہوا تھا۔

میں نے چاہا کہ مجھے ڈھونڈا جائے۔

میں نے اسی مٹی کی ایک ایک مٹھی بھری۔

اور کائنات بھر گئی۔

میں نے تمھاری انگلی پکڑ کر تمھیں چلنا سکھایا۔

سارے شہر کی سڑکوں کو نام دیئے۔

کدھر جانا ہے۔ کدھر نہیں جانا۔

لیکن تمھارے قدموں میں زنجیریں نہیں ڈالیں۔

تمہیں کھلا چھوڑ دیا۔

بھیڑ بکریوں کی طرح کہ کھیت کے اس طرف چرتے رہے تو ٹھیک ہے۔ حد پار کی تو ٹھیک نہیں ہوگا۔ مگر تم نے کسی لکیر کی پرواہ نہیں کی۔ تم صرف آئینہ دیکھتے رہے۔ اپنی تلاش میں رہے۔ نہ خود کو ملے۔ نہ خود سے کسی کو ملنے دیا۔

یہاں کی ہر چیز سے دل لگایا۔

یہاں کی مٹی سے پیار کیا۔

یہ مٹی تم سے پیار نہیں کرے گی۔

اس مٹی کی سرشت میں تم سے پیار ہے ہی نہیں۔

تم تو اس مٹی کے مقروض ہو۔ اسی سے بنتے ہو، ٹوٹ کے اسی میں ملتے ہو۔ اپنا آپ یہ وصول کرلیتی ہے۔ کسی سے رعایت نہیں کرتی۔ اصل کے ساتھ سود بھی مانگتی ہے۔ مگر تم تو اس قرض کے ہی منکر ہو۔ تمہارا کیا قصور، بے وفا مٹی سے باوفا کھلونے تو نہیں بنتے نا۔

ایک مٹی اور بھی ہے۔ میری مٹی

جس کو تم نہیں سمجھتے۔ جسے تم نے نہیں دیکھا۔ مگر وہ تم میں شامل ہے۔

تم بلب ہو وہ روشنی ہے،
وہی تو ہے جو تم ہو۔
جس سے تم ہو
اور تم یہ تو نہیں جو نظر آتے ہیں۔تم تو اس کے اندر رہتے ہو۔
باہر مکان ہے، اندر مکین
مکان دکھتا ہے، مکین نہیں دکھتا، وہ دیکھتا ہے۔
مکان تمھاری مٹی ہے، مکین میری
تمھاری مٹی کو فنا ہے، میری مٹی کو نہیں۔
تم نے تو میری مٹی کو بھی رسوا کیا۔
مگر تم نہیں سمجھ سکتے۔
کہ تمھیں دو طرح کی مٹی سے بنایا تھا
یہاں کی مٹی یہیں رہے گی۔
اور یہاں کی کسی چیز کو دوام نہیں۔
وہاں کی مٹی سے وہاں باتیں ہوں گی۔
اور وہاں کی کسی چیز کو فنا نھیں۔
خاموش
سناٹا
اندھیرا
چاروں طرف اندھیرا کیوں ہے۔
میرا گھر تو بہت وسیع تھا۔
یہ اتنا تنگ کیسے ہو گیا۔

میرے ہاتھ کیوں نہیں ہلتے۔
میری آنکھوں کا نور کیوں بجھ رہا ہے۔
کوئی کچھ بولتا کیوں نہیں۔
مجھے کچھ سنائی کیوں نہیں دیتا۔
میں بول بھی رہا ہوں یا سوچ رہا ہوں۔
مجھے اٹھنے دو۔
میرا یہاں دم گھٹتا ہے

یہ، یہ میرے پاؤں کے انگوٹھے کیوں باندھ رکھے ہیں۔ میری آنکھوں میں مٹی گر رہی ہے اور میں آنکھیں جھپک بھی نہیں سکتا۔ کیا میں بکھر رہا ہوں۔ گھل رہا ہوں، پھر گارا بن رہا ہوں۔ میں کچا گھڑا نہیں ہوں۔ نہ مجھے پار جانا ہے۔ میرے باپ دادا پار کھڑے ہیں تو کھڑے رہیں۔ ان کے دور میں گھڑے کچے ہوتے تھے۔ اب نہیں۔ آج کے گھڑے پکے ہیں۔ وہ کل کی کچی لہروں میں نہیں ڈوبتے، ان کے سروں پہ تیرتے پھرتے ہیں۔ وہ خود اٹھائے لیے پھرتی ہیں۔

یہ
یہ کیا ہو رہا ہے۔
وہی مٹی۔ اسی طرح کی مٹی۔
میں بھربھرا سا کیوں ہوئے جا رہا ہوں۔
مجھ سے میری مٹی نکلے جا رہی ہے۔
کیا مجھے پھر سے چاک پہ چڑھاؤ گے۔
اب کیا بناؤ گے۔
ہیں۔ یہ تم بند مٹھی کیوں کھول رہے ہو۔ سارا غبار اڑ کے مجھے ڈھانپ رہا ہے اور

میں تمھارے سامنے ننگا ہوا جا رہا ہوں۔ یہ ننگا پن اور اس کا احساس، اس وقت کیوں نہ ہوا تھا۔ جب پہلی بار تمھارے ہاتھ کی گیلی مٹی سے چاک پر چڑھ کے اترا تھا اور تم نے ایک شرارتی بچے کی طرح مجھے آسماں سے ہاتھ بڑھا کر زمین پہ کھیلنے کو چھوڑا تھا۔

مجھے پتہ ہے۔ تب میں معصوم تھا، بے خطا تھا۔

اور اب گناہوں سے لدا ہوا۔

پلیز۔ اپنی مٹھی بند ہی رکھو۔

ایسے گھڑے نہ بناؤ، جو تیری لہروں کے پار نہ جا سکیں۔

o

مقدمہ

پہلی بار ہم کالج کی سیڑھیوں پہ ملے تھے۔

تم چڑھ رہی تھی۔

میں اتر رہا تھا۔

تم چڑھتی رہی، میں رک گیا۔

تم چڑھ گئیں، میں رکا رہا۔

مجھے علم تھا، کہ کبھی تو تم اترو گی۔

میں تمہارے ہر راستے میں کھڑا رہتا۔

میں اسپیڈ بریکر نہیں تھا۔

نہ بیریئر تھا۔

میں کوئی روکتا تھا۔

میں تو راستہ تھا اور تم مجھ پہ چلتی تھی۔

میں دریا تھا، تم مجھ میں کشتی کی طرح بہتی تھی۔

میں چپ رہتا تھا۔

صرف دیکھا کرتا تھا۔

دعا دیتا تھا۔

اور دعاؤں کو قبول کرنے والے سے تم کو مانگا کرتا تھا۔

مگر میری دعا قبول نہ ہوئی۔

حالانکہ تم مہربان ہو گئی تھی۔

مسکرا کے مجھ سے بات کرتی تھی۔

ہنسا کرتی تھی، ہنسایا کرتی تھی۔

میری ہر بات کا جواب دیتی تھی۔

مجھ سے میرا حال پوچھا کرتی تھی۔

جیسے میری مرض تم جان گئی تھی۔

پہچان گئی تھی۔

شاید اس لیے کہ میں تمہیں ایسے تکا کرتا تھا، جیسے بیمار اپنے معالج کو تکتے ہیں۔

جن کے پاس مرض ہوتا ہے پر دوا کی رقم نہیں۔

کئی بار ہم اکٹھے سڑک پر پیدل چلے۔

تم ہر نئی کار کی طرف دیر تک دیکھتی رہتی۔

اور میں سوچتا۔

کہ ایک دن ایسی ہی کار میں۔

تجھ کو بٹھا کر۔

ایسی تمام سڑکوں سے گزروں گا۔

جن پر ہم پیدل چلے۔

اس کی فرنٹ سیٹ صرف تمہاری ہوگی۔
جب تم وہاں نہ بیٹھوگی تو کوئی اور وہاں نہیں بیٹھے گا۔
مگر میرے پاس نہ کار آئی۔ نہ تم آئی۔
ریڈنگ روم میں اکثر۔
ہم اکٹھے مل کر پڑھتے۔
میں کرسی پہ بیٹھا ہوتا۔ تم میز پہ بیٹھ جاتی۔
اپنے کندھوں تک بکھرے ریشمی بالوں سے ساری روشنی سمیٹ لیتی۔
اندھیرا کر دیتی۔
پھر نگاہیں اٹھا کے تکتی تو بجلیاں چمکتیں، کڑکتیں۔
تمہاری آنکھوں کے لال ڈورے مسکراتے۔
تمھارے گال پھول جاتے۔
تم قہقہے لگاتی۔
میرا خون بڑھتا رہتا۔
تمہاری رنگت کتنی صاف تھی۔ کرسٹل سے شفاف اور ملائی سے بھی ملائم۔
کتنی بار جی چاہا کہ تمھیں ہاتھ لگا کے دیکھوں۔
چھو کے دیکھوں۔
مگر کبھی چھوا ہی نہیں۔
ہاں ایک بار تم نے قہقہہ لگاتے ہوئے میرے ہاتھ پہ ہاتھ مارا تھا۔
اسی دن میں سمجھا کہ میرے ہاتھ پہ قسمت کی لکیر کھد گئی ہے۔
مگر بعد میں نجانے کیسے وہ لکیر مٹ گئی۔
ایک بار تمھیں کوئی کتاب چاہیے تھی۔

مارکیٹ سے وہ غائب تھی، امتحان سر پہ تھا اور تم پریشان تھی۔

تم نے مجھے کہا۔

جیسے بھی ہو، کل شام تک، وہ کتاب چاہیے۔

بس میں اس شام سے اگلی شام تک جیا ہوں۔

اور جب وہ کتاب میں نے تم کو لا کر دی تھی۔ تو میں سکندر اعظم تھا۔ مگر پھر تم نے مجھ سے کبھی کچھ نہ مانگا۔ شاید تم جان گئی تھی کہ میں سکندر اعظم بننے کے بہانے ڈھونڈتا ہوں۔ اچھا ہی کیا، مجھے فتوحات کی عادت نہیں ڈالی۔ جیت اتنی بری نہیں، جتنی اس کی عادت بری ہے۔ اس کا نشہ پڑ جاتا ہے اور کبھی یہ نشہ ٹوٹے تو بہت توڑتا ہے۔ جیت کے تو کوئی بھی ''سکندر'' بن سکتا ہے۔ ہار کے کوئی کوئی ''پورس'' بنتا ہے۔ مگر میں تو کچھ بھی نہ تھا۔ کچھ تھا تو تیرا سایہ تھا۔ تیرے ساتھ ساتھ ہوتا تھا۔ مگر تم اتنی تیز روشنیوں میں ہی رہی، جہاں چاروں طرف قمقمے تھے۔ وہاں سایہ کوئی کیسے ساتھ رہتا۔ تم تو مجھے کہیں چھوڑ کے بھول گئی۔

ایک بار تم مجھے ملنے میرے ہوسٹل آئی۔

میری عید ہوگئی۔

میرا سر چھت سے لگ گیا۔ میرے قدم زمین سے کئی میل اوپر اٹھ گئے۔ واقعی ایسا لگا جیسے آسمان سے چاند میرے پہلو میں اتر آیا ہو۔

میں نے تمہارے لیے چائے بنائی۔

قہوے میں دودھ ڈالا۔

مگر چینی نہ ملی۔ میرے کمرے میں شکر تھی ہی نہیں۔ تم نے پھیکی چائے پی لی اور میٹھی میٹھی باتیں کیں۔ اگلی شام تم پھر آئیں، مگر میری بدنصیبی میں اپنے کمرے میں نہ تھا۔ تم اپنے گھر سے ایک پلیٹ میں چینی ڈال کر لائی۔ میرے ہوسٹل سے واپس جاتے ہوئے۔ تمہارے ہاتھ سے وہ پلیٹ گر گئی۔

چینی بکھر گئی۔

پلیٹ ٹوٹ گئی۔

تم مایوس چلی گئی۔

شام کو جب میں واپس پلٹا۔تو میرے ایک دوست نے ساری کہانی سنائی۔ میں بھاگتا ہوا اس میدان میں گیا۔ جہاں سے تم گزری تھی۔

جہاں پلیٹ گری تھی۔

اور چینی بکھری تھی۔

اندھیری رات میں گھاس کے ایک ایک تنکے سے لگے چینی کے ایک ایک ذرے کو اپنی پلکوں سے چوما۔

اٹھایا۔

بکھرے ہوئے سارے تبرک کو سمیٹا۔

ٹوٹی ہوئی چینی کی پلیٹ کے ٹکڑوں کو ڈھونڈا۔

اور بقیہ ساری رات۔

میں اپنے کمرے میں۔

ایرل ڈائٹ کے ساتھ اس پلیٹ کے ٹوٹے ٹکڑے جوڑتا رہا۔

صبح تک پلیٹ جڑ گئی اور میں نے اسے اپنے ٹرنک میں سب سے قیمتی اثاثہ سمجھ کر سنبھال کے رکھ لیا۔

مگر ہم بکھر گئے۔

کالج کے برآمدوں کے ٹھنڈے فرش پر چلتے چلتے ہم کتنی باتیں کرتے تھے۔

اوروں کے عشق کی باتیں۔

مگر اپنی بات کبھی نہ کی۔

شاید وہ غیر ضروری تھا۔

تم جانتی تھی۔

میں جب بھی ایسی کوئی بات کہنے کے لیے گہرے گہرے سانس لیتا۔

ذرا سا چپ ہوتا۔

تمہاری آنکھیں بول پڑتیں۔

مسکراتیں، تھپتھپاتیں، اور کہتیں۔

ہم جانتے ہیں۔

شاید یہ مغالطہ تھا۔

شاید اسی لیے میں ہارا۔

مگر ہم میں کوئی مقابلہ تھوڑی تھا۔

اگر تم جیتی ہو تو میں سو بار ہاروں،

کہ میری جیت تو تمہیں جتانا تھی۔

تمہیں چائنیز سوپ کا شوق تھا۔

ہم اکثر وہاں جاتے، چکن کارن سوپ پیتے۔

تم کبھی میرے ساتھ سکوٹر پہ نہیں بیٹھی۔

تمہیں سکوٹر پہ بیٹھنے سے ڈر لگتا۔

مجھے تمہیں سکوٹر پہ بٹھانے سے شرم آتی۔

تم مجھ سے ملنے کے لیے کسی کی کار پہ لفٹ لے کر آتی۔

میں ریستوران سے دور سکوٹر چھپا کے آتا۔

کتنی دیر ہم ساتھ ساتھ کرسیوں پر بیٹھے رہتے۔

ایک دوسرے کو تکتے رہتے۔

ایک بار۔

تم نے باتوں باتوں میں اپنے گھر کا ایڈریس دیا۔

اور کہا۔

کبھی آنا۔

وہ میری زندگی کا خوش قسمت ترین لمحہ تھا۔

وہ سارے دن خوش کن تھے، جو تیرے گھر جانے کے اشتیاق میں گزرے۔

پھر وہ دن بھی آ گیا۔

میں تمہارے گھر پہنچا۔ ایک بڑا وسیع و عریض محل، جہاں کئی انسان تمہارے کتوں کے نوکر تھے۔ ایک لمبی کار تمہارے باپ کے گیراج میں کھڑی تھی۔

میں نے گھنٹی بجائی۔

ایک نوکر آیا۔

نام پتہ اور کام پوچھا۔

میں نے کچھ بتایا۔ کچھ نہ بتایا۔

سب آرام کر رہے ہیں۔

سب؟ میرا اشارہ تمھاری طرف تھا۔

جی، سب لوگ

پھر آیئے گا۔

شکریہ۔

اور میں رک کے چلتا، چل چل کے رکتا، مڑتا، چلا آیا۔

اور پھر۔

بہت عرصہ بعد ایسی ہی اک کار میں میں نے تمہیں دیکھا۔

مگر وہ تمہارے باپ کی کار نہیں تھی۔
کار کے سامنے۔
میں سڑک کے بیچوں بیچ کھڑا رہا۔
کار چلانے والے نے تمہارا ہاتھ پکڑا ہوا تھا۔
اور تمہارا سر اس کے کندھے سے لگا ہوا تھا۔
تم دونوں کی نظریں سڑک پر نہ تھیں۔
میں خود، بے خود تھا۔ بجھے ہوئے بلب کی طرح، جس کی تاروں سے اچانک
کرنٹ نچڑ گیا ہو، یا اتنے زور کا جھٹکا لگا ہو کہ وہ اڑ گیا ہو۔
ایک زناٹے سے وہ کار مجھ سے ٹکرائی۔
اور میرے اوپر سے گزر گئی۔
شاید آگے جا کر تم لوگوں نے بریک لگائی ہو۔
بعد کا مجھے کچھ یاد نہیں۔
کہ اس کے بعد میں نے تمہیں کبھی نہیں دیکھا۔
لوگ کہتے ہیں میں اسی دن مر گیا تھا۔
مگر تم کیوں گھبراتی ہو۔
یہاں کون سی ایسی عدالت ہے جو تم پر مقدمہ چلائے گی۔
پھر تم قاتل کب ہو۔
میں دیکھنے میں واقعی زندہ ہوں۔
یہ الگ بات ہے کہ تم کو میری موت کا شعور نہیں۔
فیوز بلب دیکھنے میں سالم دکھتا ہے۔ بس جلتا نہیں۔

o

کسب کمال کن

اسے اینٹوں پہ اینٹیں جوڑنے کا کمال حاصل تھا، وہ خود بادشاہ کے پاس چل کے آیا یا بادشاہ نے اسے دریافت کیا، اس کا علم کسی کو نہیں۔

یہ سب جانتے ہیں کہ وہ مدتوں گرمی، سردی، بارش کی پرواہ کیے بغیر اونچے اونچے بانس گاڑ کے لکڑی کے لمبے چوڑے تختوں کے پل بنائے، اینٹوں اور گارے کی بجائے سفید چمکتے پتھر کی سلوں کو ایک دوسرے پر یوں رکھتا رہا جیسے کوئی آرام سے نئے جوتوں پر پاؤں رکھے۔

کئی سال بعد مقبرہ مکمل ہوا۔

بادشاہ، شاہی سواری پر اسے دیکھنے آیا۔

جوں جوں وہ قریب آتا گیا، اس کی آنکھوں کی چمک بڑھتی گئی، وہ بار بار اپنی آنکھیں ملتا جیسے یقین نہ آ رہا ہو۔ کہ سامنے اس کا خواب اس کی نیند سے نکلا

کھڑا ہے۔

جب اس نے اس عظیم الشان عمارت کے بیچوں بیچ وہ کمرہ دیکھا جہاں ایک تربت کی جگہ خالی چبوترا تھا، تو اس کے جی میں آیا کہ ابھی اپنی کمر سے تلوار نکال کر اپنی گردن پہ مارے اور لہولہان ہو کے اس چبوترے پر لیٹ جائے اور لوگ اسے لال پیلے مقدس پھولوں سے ڈھانپ دیں۔

ایک لمحے کے لیے اس نے سر جھکا کے کچھ سوچا پھر کمر سے تلوار نکالی، معمار کو پاس بلا کے اسے گلے لگا لیا اور اپنی آنکھوں میں ہزاروں موتی بھر کے اس کا ماتھا چوما اور پھر تلوار کو زور سے گھما کے اس کا سر اڑا دیا اور پھر اطمینان سے لمبے لمبے سانس لیتا ہوا اس محل سے باہر نکل آیا جس کا ثانی اب کہیں کوئی نہ دیکھ سکے گا۔

o

سبق

اس کی حاکمیت میں ہزاروں میل کا علاقہ تھا۔
مگر اس کی رعایا اسے زمین اور آسماں کا مالک سمجھتی تھی۔
لوگ اسے سجدے کرتے۔
اس کی پوجا کرتے
کیونکہ اس کے منہ سے نکلا ہوا ہر لفظ، تقدیر کی لکیر بن کر ان کے ہاتھوں میں کھد جاتا تھا۔
اس کا فیصلہ اٹل ہوتا۔
مگر اس کے اپنے ہاتھ تھے۔
جن پہ لکیریں بھی تھیں۔
وہ اسے نظر نہ آتیں۔

یا وہ ان کے مفہوم سے لاعلم تھا۔

اس کے گوشت پوست کے جسم کے اندر کہیں چھپا ہوا، ایک شخص کبھی کبھار اس کے کانوں میں سرگوشی کرتا۔

تو کیسا خدا ہے

کہ تجھے ایک دن مرنا ہے۔

اور تو وہ دن بھی نہیں جانتا۔

جب اپنی خدائی میں تو خود مارا جائے گا۔

کون ہے۔

جو تجھ سے بڑا ہے۔

جو تیری زندگی کا فیصلہ کرے گا۔

میں اسے نہیں مانتا۔

کہ صرف ''میں'' ہوں۔

اور مجھی سے ساری کائنات ہے۔

وہ زمین پہ چلتا

اور آسماں کو ایسے تکتا

جیسے وہ اس کے بیڈروم کی چھت ہو۔

اور اس کے قدم اس کے سر کے اوپر ہوں۔

اور چاند ستارے اس کے پیروں کے نیچے۔

سورج چاند اور ستارے

جو ہمیشہ سے تھے

وہ ان جیسی ابدیت چاہتا تھا۔

ایک دن
صبح سویرے
اس کے محل کی بالکونی میں ایک بگل بجا۔
اعلان ہوا
ساری رعایا حاضر ہو۔
ایک بڑے میدان میں سب لوگ اکٹھے ہو گئے۔
اور اسے ایک اجتماعی سجدہ کیا۔
اس نے ہاتھ اوپر کیا
دور
صحرا کے ایک کونے میں
بکھری ہوئی ہریالی کی طرف اشارہ کیا۔
وہاں ایک دریا ہے۔
اور دریا کے الٹے رخ پر، میلوں اوپر ایک پہاڑ ہے، وہ پہاڑ مجھے چاہیے۔
جاؤ وہ پہاڑ اٹھا کر لے آؤ
یہاں
اس صحرا کے بیچوں بیچ
اور سنو
اس کے اندر جانے کا راستہ صرف اتنا رکھنا
کہ میرے سوا، اس میں کوئی اور نہ جا سکے۔
اور میں جب جاؤں تو باہر نہ آ سکوں۔
لوگوں نے پھر سجدہ کیا۔

اور پہاڑ کی طرف دوڑ پڑے۔
گرم سورج کی تیز دھوپ میں
ٹھنڈی چاندنی میں
اندھیری راتوں میں
وہ چلتے رہے۔
پہاڑ پہ چڑھے۔
اسے ٹکڑے ٹکڑے کیا۔
اور پتھروں کی سلوں کو ریت پر کھینچتے رہے۔
جو بوڑھے تھے وہ مر گئے۔
جو جوان تھے وہ بوڑھے ہو گئے۔
جو بچے تھے وہ جوان ہو گئے۔
تیس سال گزر گئے۔
صحرا کے بیچوں بیچ ایک پہاڑ اُگ گیا۔
ایک اونچی تکون۔
جس کے اندر جانے کا ایک راستہ بھی تھا۔
پھر ایک دن۔
وہ مر گیا۔

وہ، جوان کا خدا تھا۔ انہوں نے پہاڑ کے اندر ہی اندر بنے اندھیرے راستے کے دونوں طرف زیتون کے چراغ جلائے، لوبان کی دھونی دی، پھولوں کی کم سن پتیوں سے راستے کے پتھروں کو ڈھانپا۔

اور اپنے خدا کو اپنے کندھوں پہ اٹھائے

ایک بڑے صندوق میں ڈالے

اندر لے گئے

ٹیڑے میڑھے تنگ راستے سے گزر کے ایک محل آیا۔

لعل و جواہر سے دمکتا۔

اور شہنشاہوں کی ہر آسائش سے آراستہ

ایک چوڑے ٹھنڈے سفید پتھر کے بستر پہ بچھونا ڈالا

اپنے سوئے ہوئے خدا کو اس پہ لٹایا۔

جس کی آنکھیں ہمیشہ کے لیے بند تھیں۔

ان آنکھوں کی نابینائی کو چوما۔

پیچھے ہٹ کے ایک سجدہ کیا۔

اور الٹے قدم چلتے ہوئے

گرتے پڑتے

اس اندھیرے راستے سے نکل آئے۔

صدیاں گزر گئیں۔

انسانوں کی ہزار ہا نسلیں آئیں اور چلی گئیں۔

انسانوں کو خدا ماننے کا دور گزر گیا۔

منوانے

اور نہ ماننے کا دور آ گیا۔

پتھر جہاں کھڑے تھے

وہیں کھڑے رہے

لوگ اس پہاڑ کے بڑے بڑے پتھروں پہ پیر رکھ کے اوپر چڑھتے۔

اور اندر جانے کا راستہ ڈھونڈتے۔

ایک دن راستہ مل گیا۔

کچھ لوگ ٹارچ لے کر اندر گئے۔

اور کافی دیر بعد

وہی لوگ۔ اسی راستے پر گرتے پڑتے۔

ناک پہ رومال رکھے۔

اپنی سانسیں روکے۔

ایک بدبودار لاش کو چمٹیوں سے اٹھائے باہر آئے۔

اور سوچنے لگے۔

شاید صدیوں پہلے لاش کا قد بہت لمبا ہو۔

جسے چھپانے کے لیے اتنا بڑا پہاڑ بنانا پڑا

وسیع و عریض اور بلند و بالا۔

ان گنت بھاری بھرکم پتھر

سارے اس کے سینے پہ رہے۔

صدیوں تک

اور وہ خود پتھروں کی طرح موجود رہا۔

اسے محفوظ رکھا گیا۔

شاید اس میں کوئی راز ہو۔

کوئی سبق ہو۔

مگر یہ سبق کون سا مضمون پڑھنے والوں کے لیے ہے؟

وہ ابھی تک سوچ رہے ہیں۔

o

آرٹ گیلری

میں رنگ سے بھرا ہوا ایک ڈبہ تھا۔
اس نے بڑے چاؤ سے مجھے حاصل کیا۔
اپنی جیب سے رومال نکال کے میرا منہ صاف کیا۔
پھر
ڈھکنا کھول کے میرے حلق میں اپنی انگلیاں ڈالیں اور انھیں اچھی طرح بھگو کے انھیں سونگھتا، انہیں دیکھتا، بغلیں بجاتا ہوا، مجھے ہاتھوں میں چھپائے، بھاگتا بھاگتا اپنے کمرے میں لے گیا۔
پھر اس نے اپنی انگلیوں پر لمبے لمبے بال اگائے اور انھیں میرے وجود سے مسل مسل کے دیواروں پر، دیوانوں کی طرح لکیریں مارنے لگا۔ میرا سریر دیواروں پر سرکنے لگا۔
ساری رات وہ مجھے کھرچتا رہا۔
میری ہڈیوں کی درز درز سے، ساری بوٹیاں، سارے چھیچھڑے، سارا لہو نکال

کے وہ اپنی چونچیں دیواروں پہ صاف کرتا رہا۔

اور صبح جب سب کی آنکھ کھلی اور لوگ آنکھیں ملتے ہوئے اس طرف دوڑے آئے کہ رات بھر یہاں کیا ہوتا رہا، تو اس نے کھڑکیاں اور دروازے کھول دیئے۔ اندر بڑے بڑے بلب جلا دیے اور پھر ایک کونے میں اوندھے پڑے میرے خالی وجود کو دونوں پیروں سے دبا کے، چڑ مڑ کر کے۔ ایک ٹھوکر سے کمرے سے باہر، سیڑھیوں کے نیچے، کوڑے کے ڈھیر کی طرف دھکیل دیا اور پھر میری رگوں کے آخری رنگ سے نچڑے ہاتھ سے لکھا ہوا ایک پوسٹر۔ ''آرٹ گیلری'' کمرے کے باہر لگا دیا۔

شہر کے سارے باذوق لوگ دوڑتے ہانپتے، اندھا دھند سیڑھیاں چڑھتے اوپر آئے اور منعقش رنگین دیواروں کو دیکھ دیکھ کے۔ اس کے لمبے لمبے ناخنوں والے ہاتھوں کو چومنے لگے۔

اپنی سیڑھیوں سے ٹک ٹک لڑھکتا، ٹھوکریں کھاتا، پچکا، خالی، ٹوٹا ہوا میرا وجود گرتا پڑتا کوڑے کے ڈھیر پہ جا گرا۔ کئی دن وہاں میں دفن رہا۔ پھر ایک دن میرے جیسے کسی ٹوٹی تقدیر اور پچکے پیٹ والے، ایک گندے سے بچے نے گندگی کے ڈھیر میں ہاتھ مارے اور مجھے ڈھونڈ لیا، اور اپنی پھٹی قمیض سے میرا اپھٹا چہرہ صاف کر کے اپنے تھیلے میں ڈال کر کہیں لے گیا۔ اس کے تھیلے سے نکل کر میں کئی گندے میلے ہاتھوں سے ہوتا ہوا آخر ایک دن دہکتی ہوئی بھٹی میں آ گرا۔ میرے وجود کا لوہا پانی بن گیا۔ پانی جما تو پھر ایک ڈر جاگا۔ مجھے علم نہیں تھا کہ اس بار میرے اندر رنگ بھرا جائے گا، یا رنگ کاٹنے والا کوئی تیزاب۔

o

کرائے کا مکان

زندگی کے اٹھائیس سال اس ملک میں گزار دیئے۔

اور اب اس ملک کے قانون کا علم ہوا ہے کہ مجھے بہر حال اسے چھوڑ کر اپنے وطن واپس جانا ہوگا۔

جہاں سے کبھی میں آیا تھا۔

کس قدر حیرت کی بات ہے۔

مجھے تو پرانا دیس یاد بھی نہیں۔ میں نے تو اپنی آنکھیں ہی اس دیس میں کھولیں ہیں۔ میں یہاں کا شہری ہوں۔ میں کیوں واپس جاؤں۔ مگر مجھے یہ یہاں کا شہری ہی نہیں سمجھتے۔ عجیب قانون ہے۔

کتنی ناانصافی ہے۔

اب ایک خوفناک انجانا مستقبل سامنے ہے اور گزرے ہوئے میرے اٹھائیس

سال اس بیگانے ملک کی بے وفا سرزمین پہ بکھرے پڑے ہیں۔ گزرا ہوا ایک ایک لمحہ لہولہان ہے۔ میں کس لمحے کو سوچوں۔ کس لمحے کو چھوڑوں۔ ہر لمحے میں خوشیاں بھری ہیں، خوشیوں کی اتنی یادیں ہیں، کسے یاد کروں۔

ایک ایک یاد دکھ رہی ہے۔

اٹھائیس سالوں کے تمام تر شب و روز، صبح و شام کی پوری البم کی ساری تصویریں، میرے چھوٹے سے گھر کے در و دیوار پہ بکھری پڑی ہیں۔ میں ہر اک یاد کو کیسے سمیٹوں، کیسے اٹھاؤں ان گزری ساعتوں کا وزن۔

اٹھائیس سالوں کا اکٹھا کیا ہوا سامان ہے، کیسے یک لخت باندھ لوں۔

شروع میں جب میں یہاں آیا۔ تو بہت مفلس اور لاچار تھا۔

ایک کفیل نے میری کفالت کی تھی۔

میرے کھانے پینے، اوڑھنے، بچھونے کا سامان کیا۔

مجھے سردی سے بچانے کے لیے اپنے گرم کپڑے دیئے۔

مجھے گرمی کے موسموں میں اپنے دالان کے ٹھنڈے فرش پہ پنکھے کے نیچے سلاتا۔ برسات میں ٹپکتی چھت کے نیچے وہ خود ہوتا اور مجھے خشک بستر دیتا۔ خدا جانے خدا نے اس میں اتنا پیار کیوں بھر دیا تھا۔

وہ پیار کیے جانے پہ مجبور تھا۔

یا اسے کبھی اس پیار بھرے لاڈ کا بل وصول کرنا تھا۔

مجھے نہیں پتہ۔

میں تو اجنبی تھا۔

اس نے مجھے شہر کی گلیوں اور سڑکوں کے نام بتائے۔

اور وہاں چلنا سکھایا۔

دھیرے دھیرے میرے قدم اس ملک میں جم گئے۔

میں اجنبی ہو کے بھی اجنبی نہ رہا۔

ایک بڑا شہر تھا۔

شہر میں مارکیٹیں تھیں۔ دفتر تھے۔ بازار تھے۔ گلیاں تھیں۔ منڈیاں تھیں۔ چاروں طرف اونچے اونچے گھر تھے۔ شہر سے باہر کچھ چھوٹے چھوٹے گھروندے بھی تھے۔ جو برسات کی بارش میں ٹپکنے لگتے اور گرمیوں کی گرم دھوپ سے تڑک جاتے۔

کچھ دیر میں ان میں بھی رہا۔

خود اپنے ہاتھوں سے اپنے گھر کا کوڑا کرکٹ اٹھا کر باہر لے کے جاتا۔ اپنے ہاتھوں سے اپنے گھر کی کچی دیواروں پوچا کرتا۔ فرش دھوتا۔

بڑے جتن کیے۔

بڑی محنت کی۔

حکومت وقت مہربان تھی۔

اس نے میری ضرورتوں کا خیال رکھا۔

شروع شروع میں تو ایک آدھ کمرے کا فلیٹ تھا۔

وہیں سوتا۔ وہیں اٹھتا بیٹھتا۔ پڑھتا لکھتا۔ کھاتا پیتا۔ پھر ہولے ہولے میرے الاؤنس بڑھنے لگے۔

مجھے عقل بھی آتی گئی۔

میرے ہاتھ لمبے ہوتے گئے۔

جہاں کہیں سے مجھے، جو بھی مل جاتا۔ میں اٹھا لیتا۔ کبھی آنکھ ملا کے، کبھی آنکھ جھکا کے اور کبھی آنکھ بچا کے۔

مجھے اپنے گھر سے پیار تھا۔

اپنے بیڈ روم کے ساتھ اٹیچڈ باتھ بنوایا۔ اس میں پھر پتھر کی ملائم رنگین سلیں لگوائیں یہ سوچے بغیر کہ ان پہ میں خود پھسل بھی سکتا ہوں۔ گرم اور ٹھنڈا، دونوں قسم کے پانی کے لیے ٹونٹیاں لگوائیں۔ مہمانوں کے لیے الگ کمرا رکھا۔ ڈرائنگ روم کی سجاوٹ میں سارے شہر کی چمکتی چیزیں چن چن کر خرید لیں۔

میرا گھر نوادرات سے بھر گیا۔

بہت بڑے بڑے قیمتی نرم صوفے، جن پہ بیٹھ کر کبھی اٹھنے کو جی نہ چاہے، ملائم گداز بھاری اونچے پردے، جن پہ گرم دھوپ پڑتی تو چاندنی کی طرح نرم لطیف ہوکر اندر آتی۔ شیشے کی میزیں، جن پہ کرسٹل کے برتن سونے چاندی کے چمچے اور شہر کے لذیذ کھانے۔ پھر در و دیوار کی سجاوٹیں، بیڈ روم کا آرام دہ ماحول جس میں قدم رکھتے ہی دن بھر کی تھکن اتر جاتی اور نشہ چڑھ جاتا۔ مجھے اس وقت نہیں پتہ تھا کہ تھکن اتنا جسم نہیں توڑتی جتنا نشہ توڑتا ہے، جب اترنے لگے۔ میرے کھیل کود کے دن تھے۔ کھیلتا کودتا رہتا۔

بازار میں نئے نئے کھلونے آتے۔

جوان لوگوں کے کھلونے: بولتی تصویریں گنگناتے ہونٹ، بھاگتے پہیے

کچھ بھی میری دسترس سے باہر نہ تھا۔

اٹھائیس سال اس شہر میں، امیر شہر کی طرح رہا میں، مگر میرے گھر کی زمین کا ایک ٹکڑا بھی میرے نام منتقل نہ ہوا، اس زمین پہ ساری عمارت میرے پیسوں سے کھڑی تھی مگر گھر پھر بھی پرایا رہا۔

صرف ایک کرائے کا مکان

مالک مکان لالچی نہ تھا

نہ اس نے کرایہ بڑھایا

نہ کرائے کی تکرار کرتا۔ کبھی دے دیتا تو ٹھیک، نہ دیتا تو بھی ٹھیک۔ مگر حساب کتاب تو کہیں تھا۔ جو، جو کرائے نہ دیئے وہ جمع ہوتے گئے۔

سرکاری طور پر ایک نوٹس آ گیا، سرکاری زبان میں لکھا ہوا اور حکومت وقت کے بادشاہ کی مہر کے ساتھ کہ مالک مکان جب چاہے مکان خالی کروا سکتا ہے اور اسے کرایہ بہر حال وصول کرنا ہے، نیچے بریکٹ میں لکھا تھا کہ باقاعدگی سے کرایہ ادا کرنے میں کرایہ دار ہی کو سہولت ہے۔

میں اس نوٹس کے خلاف کس عدالت میں جاؤں۔

اس ملک کی عدالتیں بھی عجیب ہیں۔

سٹے آرڈر ہی نہیں ملتا

ایک بار جو فیصلہ ہو گیا تو اپیل کی گنجائش ہی نہیں۔ شاذ و نادر ہی ایسا ہوا کہ کسی فیصلے پہ نظر ثانی ہوئی ہو۔ بس جو فیصلے میں لکھا گیا وہی حرف آخر ہے۔ بڑی مصیبت یہ کہ مالک مکان ہی اصل کفیل ہے۔ وہی امیر شہر بھی۔ مکان خالی کرنے کا حکم ملے تو کفالت بھی گئی۔ اس آڑ میں جو نوکری تھی اس سے بھی چھٹی۔ پھر یہی نہیں سارے کا سارا سامان اسی بھرے بھرائے گھر میں رکھ کے بنا تالا لگائے چپکے سے نکل جاؤ۔ پھر بعد میں جس کے جی میں آئے لوٹ لے۔

اب میں کیا کروں

اٹھائیس سال میں نے اپنے خون پسینے سے اس گھر کو آراستہ کیا۔

اس کی سجاوٹ کی خاطر اوور ٹائم لگائے

دن کو تھکا

راتوں کو جاگا

جھوٹ بولے

فریب دیئے

دوستیاں کیں، دشمنیاں لیں۔

ٹیلیفون لگوانا تھا تو رشوت دی، اس کا بل چکانے کے لیے رشوتیں لیں۔ گیس لگوانے کے لیے سفارشیں ڈھونڈیں، گیس سے پکے پکوان دکھانے کے لیے دوستیاں ڈھونڈیں۔ دوستوں کی دوستیاں برقرار رکھنے کے لیے سفارشیں کیں۔

کیا کیا نہیں کیا

اب علم ہوا ہے کہ گھر خالی کرنے کا نوٹس آنے والا ہے۔ بلدیہ کے دفتر میں سارے شہر کے پردیسیوں کے نام نوٹس ٹائپ ہو رہے ہیں۔ نجانے کس لمحے کس ڈاک میں وہ لفافہ ہو۔

نجانے اپنی باری کب آ جائے۔

دل اندر ہی اندر سے کٹتا رہتا ہے۔

خون کہیں نہ کہیں سے ٹپکتا رہتا ہے۔

اک ہوک سی اٹھتی ہے۔

چکر سا آتا ہے۔

اتنا بھرا بھرایا گھر، اتنے سجے سجائے کمرے۔

سونے چاندی اور نوٹوں سے بھرے لاکر، موٹر کاریں، میوزک سسٹم، ٹیلیویژن، وی سی آر، ایئر کنڈیشنر اور نجانے کیا کیا۔ سب کچھ یہیں چھوڑ جاؤں؟ نجانے کون لٹیرے لوٹ لیں اور گھر پہ امیر شہر بلڈوزر پھروا دے۔

میں نے بلدیہ کے دفتر میں واقفیت نکال لی

قانونی نکتے ڈھونڈنے لگا

کسی طریقے سے میں یہ سامان ساتھ لے جاؤں

ناممکن

ایمیگریشن والے بہت محتاط ہیں، ایک پائی کا سامان ساتھ نہیں جانے دیں گے، پھر کوئی طریقہ ہو کہ یہ سامان یہاں بیچ دوں۔ مگر خریدے گا کون، جب سب جانتے ہیں کہ تمہاری فلائٹ کے بعد سب کچھ ان کا اپنا ہے، بنا پیسوں کے، پھر پیسے کون دے گا۔

میں کسی سے کہہ سن لوں گا۔

کوئی نہیں سنے گا۔

کمال ہے۔

حد ہوگئی۔

حیران ہوں۔

ظالموں کچھ تو دو

کچھ زادراہ...... کچھ وہاں کا خرچہ پانی

وہاں کی کرنسی کے کچھ نوٹ ہی دو۔

کوئی سنتا ہی نہیں

اک عمر یہاں گزاری ہے کیا ہوا جو یہاں پیدا نہیں ہوا

چلا پھرا تو یہیں ہوں

مگر کوئی مانتا ہی نہیں

میری تقدیر میں پردیسی ہونا ہی لکھ دیا ہے

ماں کے پیٹ میں تھا

جب کبھی دیس میں تھا

آنکھیں تو تھیں مگر بینائی صرف ماں کی آنکھوں میں تھی۔

نہ اس بینائی میں شامل ہوا

نہ ان بینا آنکھوں کو دیکھا

میں نے تو ماں کی آواز تک نہیں سنی

کسی سے سنا کہ ماں نے ایک جہاز میں مجھے جنم دیا تھا اور مجھے یہاں کے ائیر پورٹ پر چھوڑ کر اگلی فلائٹ سے واپس چلی گئی تھی۔

اور یہ پیغام دے گئی

کہ جب میرے بیٹے کو سنائی دینے لگے

تو اسے کہہ دینا کہ میں دیس میں اس کا انتظار کروں گی

عجیب غیر ذمہ داری ہے

میں نے تو ماں کو دیکھا تک نہیں۔ کیسے پہچانوں گا۔

خدا جانے ماں مجھے کیسے پہچانے گی۔

سنا ہے، کہہ گئی تھی کہ وہ خود ایئر پورٹ پر لینے آئے گی۔

تو مجھے ماں کی یہی پہچان ہے کہ جو مجھے لے جائے گی وہ میری ماں ہے

انہونی باتیں ہیں جو بہر حال ہونی ہیں۔

نجانے کس ملک میں ہے وہ۔ کون سا ملک ہے اصل ہمارا۔

وہاں کے رسم و رواج، گلی کوچے، بازار، باغ، سڑکیں، کچھ یاد نہیں۔

کتنا لاعلم ہوں۔

وہاں کی زبان تک نہیں آتی۔

یہ تک معلوم نہیں کہ وہاں کون سی کرنسی ہے، کئی بار یہاں اپنے بینکر کے پاس گیا ہوں کہ میری کچھ رقم کا ڈرافٹ بنا دے، اپنے دیس کی کسی برانچ کے نام۔ وہ مزے سے اپنا کام کرتا رہتا ہے اور مسکراتا جاتا ہے۔ ایک بار تو مجھے بہت غصہ آ گیا۔ پوچھا،

صاحب، ہنسنے کی کیا بات ہے؟ میری اپنی جمع پونجی ہے، جہاں چاہوں ٹرانسفر کروں۔

بینک آفیسر نے گھور کر مجھے دیکھا اور کہا، ہم سے کیوں لڑتے ہو، ہر ملک کا اپنا اصول ہے، کچھ یہاں کا، کچھ تمھارے ملک کا۔ ہاں جائز طریقوں سے کچھ یہاں کمایا ہے تو اس کا ڈرافٹ بنا دیتا ہوں۔

بولو

میں خاموش ہو گیا

جیسے عدالت کی بڑی میز پر بیٹھے قاضی نے فیصلہ لکھ لیا ہو

صرف پڑھ کے سنانا باقی ہو

کہنے سننے کے موقعے گزر گئے۔

امیر شہر کے دفتر سے میرے مکان خالی کرنے کا حکم نامہ نکل چکا ہے، ڈاکیا کسی وقت بھی میرے مکان پر دستک دے گا اور میری چوکھٹ پر وہ آخری دستک ہو گی۔

میرے ہاتھ میں میرا پاسپورٹ ہے

اپنے ملک واپس جانے کا تو کوئی ویزہ نہیں ہوتا

بس ایک پرانا سا ٹکٹ ہے

اٹھائیس سال پرانا ٹکٹ

جس پر ایک طرف کا سفر ہو چکا ہے

صرف واپسی کوپن باقی ہے۔

آتے سمے ریٹرن ٹکٹ بنایا تھا۔ شاید ادھر کا وزٹ ویزہ تھا۔ مگر میں نے اٹھائیس سال یہاں گزار دیئے۔ بھول گیا کہ کون سا ویزہ ہے۔ یہ بھی یاد نہ رکھا کہ واپسی کا کوپن باقی ہے۔

مجھے تو ایئرپورٹ آ کے معلوم ہوا کہ ہینڈ بیگ بھی ساتھ نہیں جا سکتا۔ میں نے ڈر

کے ہاتھوں کا نہیں پوچھا۔

ایئر پورٹ پہ چیک ان بھی کروالیا ہے

بورڈنگ کارڈ جیب میں ہے۔

اور اب میں ڈیپارچر لاؤنج میں بیٹھا ہوا ہوں۔

بے شمار جہاز آرہے ہیں۔

ان گنت جارہے ہیں۔

خروج لگ چکا ہے، نجانے کس لمحے گھنٹی بجے اور میری فلائٹ اناؤنس ہو جائے اور میرا جہاز ٹیک آف کر جائے اور میں اپنے گھر سے اس طرح نکل جاؤں جس طرح سوڈے کی بند بوتل کا ڈھکن کھلنے سے گیس نکلتی ہے۔ یہ گیس ہی تو ''میں'' ہوں اور یہ بوتل میرا گھر ہے، کرائے کا گھر۔ میرے ہاتھ، میرے پیر، میرا سر، میرا چہرہ، میرا سارا جسم، سب کچھ کرائے کا ہے۔ جسے میں ''میں'' سمجھتا آیا ہوں، یہیں پردیس میں رہ جائے گا کہ یہ یہیں کی چیزیں ہیں۔ یہ وہاں نہیں بنیں، جہاں مجھے تخلیق کیا گیا تھا۔

o

سن فلاور

اس کے سونے سے پہلے میں کبھی نہیں سویا۔
جتنی دیر آنکھیں کھلی رہیں اسی سے چپکی رہتی ہیں۔
وہ گھر میں اپنے کاموں میں محو ہوتی ہے اور میں اسے دیکھنے میں۔
ایک دن
صبح سویرے
آنکھ کھلنے کے بعد اور آنکھیں ملنے سے پہلے۔

میں بیڈ کے کونے میں سمٹا پڑا تھا۔ وہ بیڈ بنا رہی تھی۔ چادر سیدھی کر کے وہ تکیے کے غلاف کھینچتے ہوئی رکی، پلٹ کے میری کھلی آنکھوں میں دیکھا۔ جیسے میری پلکوں میں سے کوئی آدھ پلک سوئی ہو۔ ایک عجیب سی شرم سے مسکرائی۔ گال سرخ ہو گئے، کنپٹیاں گرم ہو گئیں، پورے جسم سے بھاپ سی اٹھنے لگی اور تکیہ اٹھا کے مجھے مارا۔

تنگ کرتے ہو۔ جدھر جاتی ہوں، ادھر گردن موڑ لیتے ہو۔ ہر وقت مجھے دیکھتے رہتے ہو۔ میں نے اسے اپنی طرف کھینچ لیا۔ گود سے تکیہ نکال کر اسے وہاں لٹایا اور اس کی آنکھوں کو چومتے ہوئے کہا۔

تم۔ تم میرا سورج جو ہو۔

اس کے چہرے پہ خوشیوں کی خوشگوار میٹھی دھوپ بکھر گئی اور وہ میری گردن سے لپٹ کر اٹھتے ہوئے پوچھنے لگی۔

تم خود کیا ہو؟

میں۔ میں ''سن فلاور''

وہ خوشی سے شرما کے دہری ہوگئی۔

''سن فلاور'' کا وجود اور اس کے وجود کی سمت تو دھوپ سے ہے۔ دھوپ جو دونوں کے بیچ میں ہے۔ ایک رسی کی طرح سورج اور پھول کو باندھے ہوئے، سورج اسے تکتا ہے تو یہ پکتا ہے اور جب اس کی اپنی آنکھیں بن جائیں تو پھر یہ کسی اور کو کیوں دیکھے۔ اس کا اپنے سورج کو تکنا تو سجدہ شکر ادا کرنا ہے۔

مجھے دیکھنے دو۔

مجھے شکر کرنے دو۔

o

سن باتھ

تم دن بدن کیسے نکھر رہی ہو۔

سن باتھ جو لیتی ہوں۔

سن باتھ لیتی تو ٹین ہوتی۔ تمہاری رنگت تو صاف ہو رہی ہے۔

تم کون سا سن باتھ سمجھے؟

وہی، سورج کے نیچے لیٹنے، چلنے، پھرنے کا۔

ہاں۔ ہے تو یہی۔

مگر میرا سورج وہ نہیں جو سب کا ہے۔

پھر۔

میرا سورج تم ہو۔

اور تمہاری آنکھوں میں پیار کی جوت صرف میرے لیے ہے۔

یہ تمہاری مہربان آنکھیں۔
محبت کے سندیسے لیے ہوئے۔
میری سنہری دھوپ ہے
اور
اس کے راستے میں کوئی وہم کا بادل بھی نہیں۔
جب تم مجھے یوں تکتے ہوتو میرے جسم کے ریشے ریشے میں انفرار یڈ ریز گھس جاتی ہیں اور میرے جسم کے اندر چھپی کہیں مجھ کو پکڑ کر گلے لگاتی ہیں۔
روح گرما جاتی ہے۔
جسم مسکراتا ہے۔
چہرہ کھلکھلا جاتا ہے۔
اور رنگ نکھر جاتا ہے۔
اسی دھوپ کے آسماں میں چلتی پھرتی ہوں۔
تو ناری سے نور لگتی ہوں۔
اپنا سایہ تک نہیں دکھتا۔
مجھے آسماں کے سورج کے سرد ہونے تک۔
اور اس کے بعد بھی۔
اپنی اسی مہرباں دھوپ میں رکھنا۔
کہ اس اندھیرے میں اس چراغ کی ضرورت پڑے گی۔
اسی سے راستہ دکھائی دے گا۔
اسی سے راہ دیکھتی آئی ہوں۔
اسی کے سنگ سفر کٹ رہا ہے۔

بھٹک جاؤں تو یہ انگلی لگا لے۔
تھک جاؤں تو یہ گود میں اٹھا لے۔
اسی سے میں ہوں۔
اسی میں، میں ہوں۔
یہی میں ہوں۔ یہی میری پہچان ہے۔ میں تیری محبت ہوں۔
تیری آنکھوں کے پیچھے، تیرے ذہن میں میرا وجود ہے۔
اور میں ہر جگہ ہوں۔
جدھر تو تکتا ہے۔
میں ابھر آتی ہوں، میں اگ جاتی ہوں۔
اور تو تکتا ہے تو مہربان دھوپ کا شاور برستا ہے۔
اور میں
نہاتی ہوں
اسی سے نہاتی آئی ہوں
اسی سے غسل دینا
آخری بار کا بھی۔

o

ٹوٹے ہوئے تارے

میں اسے اس دن سے جانتا ہوں۔

جب نہ دن تھا۔

نہ رات۔

جب ابھی سورج اور چاند نے جنم نہیں لیا تھا۔

نہ روشنی تھی۔

نہ اندھیرا تھا۔

نہ آسمان تھا۔

نہ زمین تھی۔

صرف۔

ایک۔

خدا تھا۔

اور اس کے روبرو۔

وہ سارے چہرے تھے۔

جنہوں نے ابھی جسموں کا لباس پہننا تھا۔

ایک خاموشی تھی۔

سکوت تھا۔

جیسے کچھ ہونے والا ہے۔

لوگوں کی قطار در قطاریں تھیں۔

جن کے نہ چہرے تھے۔

نہ آنکھیں۔

نہ کوئی پہچان تھی کسی کی۔

نہ کسی سے کوئی رشتے داری۔

آواز آئی۔

وہ زمین بہت وسیع ہوگی۔

جس پہ تمہارے قدم اٹھیں گے۔

پھول ہوں گے۔ پھل ہوں گے۔

خوشبو ہوگی۔ ذائقے ہوں گے۔

امن ہوگا۔

سکون ہوگا۔ پیار ہوگا۔

موسم ہوں گے۔

اور موسموں کے راز ہوں گے۔

سارے راز۔ ایک ایک کر کے تم جان لو گے۔

کہ سب کچھ تمہارے لیے ہے۔

مگر۔

تمہیں لوٹ کے یہیں آنا ہو گا۔

یہاں پھر ایک دربار لگے گا۔

تم مدتوں وہاں رہو گے۔

مگر پلٹتے سمے۔

تمہیں محسوس ہو گا جیسے صبح آئے اور شام ہونے سے پہلے ہی واپس چل دیے۔

تم نے اگر وہاں دل لگا لیا۔

تو واپسی سے ڈرو گے۔

ایک طرف سے احتجاج ہوا۔

جان کی امان پاؤں تو عرض کروں۔

کہو۔

بہت فساد ہو گا۔

خون خرابہ ہو گا۔

یہ اینٹ روڑوں سے دل لگائیں گے۔

سونا اور چاندی جمع کریں گے۔

ایک دوسرے کا گلہ کاٹیں گے۔

دوسرے کے لیے گڑھا کھودیں گے اور خود اس میں نہیں گریں گے۔

کوئی کسی کا نہیں بنے گا۔

ہر کوئی اپنے آپ سے پیار کرے گا۔

خاموش۔
جو بھی ہو گا ہم جانتے ہیں۔
جس نے جو کرنا ہے۔ وہی کرے گا۔
اور جو جو کرے گا۔ وہ وہ بھرے گا۔
جتنا دیں گے، جو بھی دیں گے۔
اس کا حساب لیں گے۔
وہ فیصلہ کل ہو گا۔
آج تمہارا دن ہے۔
اور آج اور کل کے درمیان کی کالی رات۔
اک تماشہ ہے۔
سفر ہے۔
آج فیصلہ تم کرو۔
کل میں کروں گا
جاؤ!
سارے ہجوم کے اندر موجود لوگوں سے اپنے رشتے جوڑ لو۔
جس کا ہاتھ چاہے پکڑ لو۔
جسے پکڑو گے، اسے ہم تمہیں بخش دیں گے۔
کروڑہا لوگوں کے ہجوم میں ہاتھ لپکنے لگے۔
کوئی ہر ایک کو پکڑتا
کوئی کسی کو بھی نہ پکڑ پاتا۔
کوئی چھو کے چھوڑ دیتا۔

کوئی چھوڑ کے پکڑ لیتا۔

کوئی پکڑ کے پکڑے رکھتا۔

میں جیبوں میں ہاتھ دیئے سارے پنڈال میں گھوما۔

ایک سرے سے دوسرے سرے تک۔

ایک جستجو میں مارا۔

ایک تلاش میں سرگرداں۔

آخر وہ مل گئی۔

میں نے اس کے دونوں ہاتھ پکڑ لیے۔

اور انہیں چوم لیا۔

ہمارے چاروں ہاتوں پہ ایک مہر لگ گئی۔

اور ہمیں۔

آسمان سے زمین کی طرف اچھال دیا گیا۔

اس راستے میں۔

کسی نے ہمارے کان میں سرگوشی کی۔

یہاں جو ڈھونڈا ہے، وہی نیچے جا کے ملے گا۔ حالانکہ تمہیں اس کا شعور نہ ہوگا۔

تم ''ملنے'' اور ''نہ ملنے'' کے دکھ میں نہ پڑتا۔

شک اور وسوسے سے دور رہنا۔

اور کبھی یہ ہاتھ نہ چھوڑنا۔

ورنہ گم ہو جاؤ گے۔

آسمان اور زمین کے درمیان کہیں بکھر جاؤ گے۔

ٹوٹے ہوئے تاروں کی طرح۔

نجانے کب

کہاں

کیسے اور کس سے ہاتھ چھوٹ گئے۔

رات کیسے گزرے گی۔

کل نجانے کب آئے؟

o

چڑیا گھر

وہ سب پانی کے پرندے تھے۔

مدت سے جواڑنا بھول گئے تھے۔

ان کے اور میرے درمیان لوہے کا ایک بڑا، اونچا لمبا اور وسیع جنگلا حائل تھا۔ جالی کے اندر ایک کھلا تالاب بھی تھا۔ جس میں ٹھہرا ہوا، گدلا پانی تھا۔ وہ بھی اتنا تھا کہ جس میں نہ وہ ڈوب سکتے، نہ چھپ سکتے اور نہ ہی پی پی کراسے ختم کر سکتے۔

اپنی اونچی لمبی پتلی ٹانگوں سے چلتے چلتے، اپنے کٹے، ان کٹے پروں کے ساتھ، وہ پروں کو ہلائے بغیر میرے قریب آئے اور مجھے دیکھ کے دکھی ہونے لگے۔

لوہے کے پنجرے میں اپنی چونچیں رکھ کر انہوں نے ایک دوسرے کو کن اکھیوں سے دیکھا۔

پھر اپنی گول گول معصوم، بچوں جیسی روشن آنکھوں کو میری آنکھوں میں ڈال کر میرے بارے میں سوچنے لگے۔

بے چارہ قیدی۔ پنجرے میں بند ہے۔

o

انڈر سینچری

ایک عجیب فیصلہ کیا تھا اس نے۔ جس کا کسی کو علم نہ تھا۔ اپنے کمرے میں اس نے ایک سکور بورڈ بنا کے لگایا ہوا تھا۔

مجھے تو بورڈ کا علم تھا۔

سکور کا کچھ اندازہ نہ تھا۔

سارا دن شہر کی گلیاں، بازار اور سڑکیں اس کے آگے پیچھے بھاگتی رہتیں۔

خدا جانے وہ کہاں کہاں رکتا۔

کہاں سے چلتا۔ کہاں پہنچتا۔

کبھی خوش اور کبھی خاموش پلٹتا۔

ایک آدھ بار، اس کی خوشی کے گلابی گلابی رنگ تو میں نے بھی دیکھے۔ اس کے کالر اور قمیض پہ۔ پتہ نہیں اس نے ہونٹوں کے سائز کی کوئی ربڑ کی مہر بنوائی ہوئی تھی۔

ہر قمیض پہ کم و بیش ایک ہی سائز کا نشان ہوتا۔ جس قمیض پہ مہر لگتی۔ وہ اسے دھلائے بغیر استری کروا کے ٹرنک میں رکھ دیتا۔

اور سکور بورڈ پہ گنتی بڑھا دیتا۔

اور سب تو ہوا۔ یہ سکور بورڈ کیوں؟

سنچری ہوگی۔ تو کچھ ہوگا۔

کیا۔ کیا ہوگا؟

ولیمہ۔

سٹوپڈ۔

ہاں۔

مگر، وہ ہوگی کون؟

وہی جو سویں نمبر پہ ہوگی۔

نان سنس

یو ول سی

اس کے لہجے میں استقامت تھی۔

پھر ہم دونوں کافی دور دور چلے گئے۔

شاید ہم میں سے کوئی ایک ہی دور گیا۔

وہ۔ یا۔ میں۔

ایک عرصے بعد۔

ایک دن اس کا مختصر سا خط آیا

ریچ سون،

سنچری اوور

بھاگم بھاگ میں اس کے شہر پہنچا۔

دور ہی سے اس کا گھر، سارے محلے کے گھروں کا معشوق معلوم ہو رہا تھا۔ رنگ اور چونا۔ لال پیلی جھنڈیاں۔ آنکھیں مارتی بجلیاں اور شور مچاتے لوگ۔

میں نے اس کے کان میں مبارک باد دی۔

سنچری مبارک۔

تھینک یو۔

اس نے زور سے مجھے تھپکی دی۔ اس کے ہاتھوں میں تکبر تھا۔

لوگ گئے۔

آئے۔

اور چلے گئے۔

رات پڑ گئی۔

صبح ہو گئی۔

ناشتے پہ وہ مجھے نہ ملا۔

لنچ پہ میں نے اسے ڈھونڈ لیا۔

وہ اپنے پرانے کمرے میں۔ پرانے بنے سکور بورڈ کے سامنے پریشان کھڑا تھا۔ کبھی اپنے ہاتھ ملتا۔ کبھی سر کے بال کھجاتا اور دائیں بائیں شرمندگی سے گردن گھماتا۔

کیا ہوا۔

چپ۔

یہ اپنے اعمال کا اخبار اب مٹا دو۔ سنچری ہولڈر۔

مٹا دوں گا۔

اداس کیوں ہو۔ رومیو۔

ہارڈ لک۔

کیوں۔ ابھی کوئی کسر باقی ہے۔ ایک سے سو تک گنتی تو پوری ہے۔

اور سویں نمبر پر دائرہ۔

ہاں۔

مگر دائرہ تو یہاں بھی ہونا چاہیے تھا۔ یہاں۔

اس نے پہلے نمبر کے ادھ مٹے نام پر وہی دائرہ لگا دیا۔

کیا مطلب تمہارا؟

آئی نیور نیو۔ شی از دی سیم فسٹ۔ وہی پہلی لڑکی اور اس نے ایک اور سو کے درمیان کے سارے نمبر مٹا دیئے۔

o

کشید

صبح کی ٹھنڈی روشنی میں، میں ایک باغ سے گزرا۔ پھولوں کے تختوں میں ایک گلاب کا پودا تھا اور گلاب کے اس پودے پہ اک آدھ کھلا سا پھول۔

میں چلتے چلتے رک گیا۔

اور پودے کے قریب ہو کر پوچھا۔

''تمہیں سونگھ لوں۔''

ادھ کھلی کلی شرما گئی اور میں نے اس کی ساری شرمیلی خوشبو اپنی سانسوں میں بھر لی۔

پھر ذرا ہاتھ بڑھایا اور اسے چھونے سے پہلے پوچھا۔

''تجھے چھو لوں''۔

اور اس کے جواب سے پہلے ہی میں نے، اس کی گلابی، مخمل سی ملائم، نرم و گداز پتیوں پر ہاتھ رکھ دیئے۔

میں نے اپنے ہاتھوں کی انگلیوں کی درزوں سے اس کی آنکھیں دیکھیں اور میرے ہاتھ گیلے ہوگئے۔اس کی پلکوں سے آنسو پونچھ کے پوچھا۔

"تمہیں چوم لوں" اور پھر ہاتھ لمبا کر کے اسے ٹہنی سے توڑ لیا۔

اور اپنے ہونٹوں پر رکھ لیا۔

اس نے میرے ہونٹوں پہ سرگوشی کی۔

تم نے مجھے توڑا کیوں۔

تمہیں چومنا تھا۔

وہیں چوم لیتے۔توڑے بغیر۔

نہیں وہاں کانٹے بھی تھے تمہارے ساتھ۔

وہ بھی تو میرا حصہ ہیں۔

ہیں نہیں۔تھے۔

اور تھے اس لیے کہ تمہیں توڑنے والا دھیان سے توڑے

اور۔

پھول تو وہی ہوتا ہے جسے کوئی توڑ لے۔

ٹہنی پر لگا پھول تو صرف بکھرنے کے لیے ہوتا ہے جس کی پتیاں بھی بکھر جاتی ہیں اور خوشبو بھی۔

میں نے اسے اپنے کالر پہ لگایا۔

اور باغ سے باہر نکل آیا۔

راستے میں اس نے میرے کالر پہ روتے ہوئے آخری ہچکی لی اور کہا، تم نے میرے رنگ اور خوشبو کو پانے کے لیے، میری کوکھ میں پلتے ہوئے میرے بچے، میرے بیج مار دیئے ہیں۔اس کی خوشبو میں ممتا کی سسکی تھی۔

O

چوتھی منزل

بہت پیاس لگی تھی۔

گرمیوں کی ایک لمبی دوپہر تھی۔

اور لمبی سیڑھیاں۔

تیسری منزل پہ وہ کمرہ آیا۔

ٹھنڈا ائرکنڈیشنڈ، یخ۔

ایک ریفریجریٹر۔

اس کے اندر بے شمار لذیذ چیزیں تھیں۔

ذائقے ان کے چہروں پہ لکھے تھے۔

اور میرے چہرے پہ کسی ٹھنڈے مشروب کی تلاش، جو میرے جسم سے مل کر اندر کی دھوپ کو کھینچ لے۔

بھوک نہیں تھی، پیاس تھی۔

اور وہاں پانی کی صرف ایک بوتل۔

ہاتھ لگایا۔

گرم۔

جیسے اس کے اندر بھی سورج گھلا ہوا ہو، اور ماحول کی ساری تپش اسی نے اپنے اندر کھینچی ہو۔

اسے اٹھا کے پی لیا۔

پسینہ ہی پسینہ۔

پہلے سے بھی زیادہ۔

جیسے چوتھی منزل پہ چڑھ رہا ہوں۔

o

خیال

سنگ مرمر کے مجسمے کی نبض چل رہی تھی۔
میں نے نبض سے انگلیاں ہٹا کر۔
دھڑکن کو ہاتھوں میں لینا چاہا۔
اس نے اپنا دل میری ہتھیلی پہ رکھ کر۔
میری نبض کو بھی منجمد کر دیا۔
پتھر کا بنا دیا۔
کافی دیر بعد مجھے خیال آیا۔
بیمار وہ تھی۔ یا میں۔

٥

گل قند

پہاڑ کی چوٹی کو ایک بادل چوم رہا تھا۔
اور پہاڑ کی ڈھلوان پہ کھڑی ہریالی پہ اس کا پانی برس رہا تھا۔
ٹھنڈی یخ شام تھی۔
سرمئی سا اندھیرا۔
ہریالی میں چھپی ایک چھوٹی سی کاٹیج اور اس پر بالکونی۔
بالکونی کی تکونی چھت تھی۔
چھت ٹین کی تھی۔
اور ٹین بج رہا تھا۔
بارش تیز تھی۔
میں بالکونی میں کھڑا پہاڑ کی ڈھلوان پہ برستی بارش، بارش کی پھوار چکھ رہا تھا اور

بارش کی دھندلی دھند میں کسی آنے والے مہمان کی راہ تک رہا تھا۔

دور اک کالی چھتری نظر آ گئی۔

چھتری چلی آ رہی تھی۔

قریب آتی گئی۔

قریب آ گئی۔

چھتری پھسل کے ہٹ گئی اور بند ہو گئی۔

اندر سے اک پھول نکلا۔

پہاڑوں کے بیچوں بیچ۔ کسی جنگل کی گزرگاہ کے کنارے اگا ہوا جنگلی گلاب کا پھول۔

میں نے گیلی چھتری پھیلا کے دور رکھ دی، کہ خشک ہو جائے۔

اور۔

گلاب میں شہد ڈال کے گل قند بنا لیا۔

o

غبارا

میں چڑمڑ ہوا ایک خالی غبارا تھا۔
نیچے گرا پڑا۔
تم نے مجھے اٹھایا اور کھینچ کر اپنے ہونٹوں سے لگا کر اپنی مہکتی سانسیں مجھ میں بھر دیں۔
مجھ میں زندگی سرایت کر گئی۔
اب میں سانس لیتا ہوں تو تمہاری دی ہوئی سانسوں کو دہراتا ہوں مگر مجھے سانس لیتے دیکھ کر تم نے کیوں اپنے ہونٹ پیچھے کر لیے۔ یہ غبارا پھٹنے والے ربڑ سے نہیں بنا۔ اپنی میٹھی سانسوں کے طوفان مجھ میں بھر دو۔
بھرتی جاؤ
اور اسی طرح مجھے اپنے گلے سے لگائے، ہونٹوں پہ رکھے، اپنی سانسوں سے

مجھے زندہ رکھو۔

تمہاری سانسوں سے ملی زندگی، بہت لمبی ہے۔

بہت کافی ہے۔

مگر تھوڑا سنبھل کے، راستہ طویل ہے اور باقی ہے۔تھک نہ جانا۔

مجھے گود سے اتار نہ دینا۔

اپنے ہونٹوں سے ہٹا نہ دینا۔

زمین بے رحم ہے۔

اور اس پہ بے شمار کانٹوں بھری جھاڑیاں ہیں۔

o

وہی بات

میں کسی اور سے بات کر رہا تھا۔
کہ وہ اچانک آ گئی۔
اور میں کچھ کہتے کہتے کچھ کہہ گیا۔
رک گیا۔
صاف رنگت۔
دودھ میں شہد اور روح افزا۔
لمبا قد دروازے جتنا۔
نیلی نیلی آنکھیں۔ گنگناتی ہوئیں
آپ کچھ کہہ رہے تھے۔
لمبی چپ۔

صرف ٹکٹکی۔

آپ ان کی دوست ہیں۔

جی۔ یہ میری کلاس فیلو ہیں۔

آپ کا نام پوچھ سکتا ہوں۔

جی۔ میں نائلہ ہوں۔

اور اس نے اپنا ایڈریس دے دیا۔

میں کسی دن آؤں گا۔ تمہارے ڈیڈی سے ملنے۔

واقعی؟

ہاں۔

مگر۔ آپ میرے ریفرنس سے نہ ملیے گا۔

میں ہنسا اور ریفرنس کیا ہوگا؟

کچھ بھی، کوئی بات، ادھر ادھر کی۔

نہیں میں ادھر کی ادھر نہیں کرتا۔ میں سچی بات کرتا ہوں۔ ان سے سچ ہی بولوں گا۔

کیا۔

وہی بات۔ جو شاید ان سے اور بھی بہت کرتے ہوں گے۔ بنا ہونٹ کھولے۔

ان کی اپنی پرانی، جوانی کی تصویروں کی طرح۔

o

آؤٹ آف فوکس

کیمرے کی آنکھ سے میری آنکھ نے ایک دن ایک عجیب سمجھوتہ کرلیا۔ اپنے اپنے شیشے دونوں نے اپنی اپنی پتلیوں سے نکال کر آپس میں ادل بدل لیے۔

کیمرے کی آنکھ ہر جائی ہوگئی

وہ دیکھ کے مکر جاتی، نظر ہلائے بنا ہی منظر بدل جاتی۔ منظر نظر پکڑ لیتا تو اس کے شیشوں پہ نمی آجاتی اندر کے چھپے سارے بادل پگھل جاتے اور نظر اور منظر دونوں آبدیدہ ہوکر دھندلا جاتے۔

میری آنکھ ایک منظر میں اتنے نظارے کیسے فوکس کرپاتی۔

خوشبو کی تہ میں رنگ ڈھونڈنے قریب تر جانا چاہتی۔

ایک دن میں نے نہ روکا۔

رنگوں کے دائرے فوکس کرتے کرتے۔ آنکھوں پہ لگے کیمرے کے شیشے

دائروں کے بیچوں بیچ اک انجانے نکتے پہ پہنچ کے پھر دھندلا گئے اور ذہن کی لکیروں نے ان کی تصویریں لینے سے انکار کر دیا۔

میں نے آنکھوں پہ وائپر چلائے۔
مگر پانی کی کپی تو خالی تھی۔
اور بارش بھی نہ تھی۔
خشک آنکھوں میں آنسو چبھ رہے تھے۔
میں نے اپنی آنکھوں پہ ہاتھ رکھ کر
کیمرے کی آنکھ سے اپنی آنکھوں کا ادھار واپس لیا۔
اور آنکھوں کو بند کر کے
ان سارے آؤٹ آف فوکس رنگوں کو چوم لیا۔
جو باہر نہیں تھے۔
میری آنکھوں کے اندر تھے۔
جن کی کوئی تصویر نہیں بنتی
جن سے تصویریں بنتی ہیں۔

o

کھٹا میٹھا

سنہری، گلابی اور سفید سیب، پھلوں کی دوکانوں پہ تو بہت دیکھے تھے۔
ایک روز سیب کا پودا بھی دیکھ لیا۔
ایک سیب توڑا۔
سونگھا۔
اس میں ساری میٹھی بشارتوں کی مہک تھی۔
صندل اور شہد کے ذائقے اس کے جسم پر لکھے تھے۔
پہلی بار چھلکے سمیت چکھ لیا۔
مٹھاس میں ترشی تھی

اور عجیب تجسس کہ جیسے کھٹے میٹھے ذائقے گڈمڈ ہو گئے ہوں۔
صرف شہد کو ڈھونڈتے ڈھونڈتے میں نے موم کے سارے کمرے توڑ دیئے،
چھلکے اتار دیئے۔
ایک ہی لقمے میں وہ ختم ہو گیا۔
اور منہ پھر پھیکے کا پھیکا۔

o

انڈے

اونچے پہاڑ دیس میں برف پڑ رہی تھی۔
اور برف کی ملائم بکل میں چھپے، ایک بند کمرے میں ایک بجلی کا ہیٹر جل رہا تھا۔
ہیٹر پر پانی ابل رہا تھا۔
اور پانی میں چھ انڈے۔
کمرہ گرم تھا۔
چھت پر برف گر رہی تھی اور پگھل رہی تھی۔
جمع اور تفریق ہو رہی تھی۔
دیواریں باہر سے یخ، منجمد تھیں
اور اندر انہیں پسینہ آ رہا تھا۔
کمرے میں ہلکی لال لال روشنی پھیلی ہوئی تھی۔

جیسے کسی فوٹوگرافر کے اسٹوڈیو میں، کوئی فلم دھل رہی ہو۔

کھٹ کھٹ کھینچی ہوئی تصویریں

چمکتے بال، پھیلے ہوئے۔

اور اجلا ریشمی ملائم جسم۔

ادھر ادھر بکھرے ہوئے کپڑے۔

بے ترتیب پڑی ہوئی چیزیں۔

آدھی درجن انڈے پانی سے بھری دیگچی میں رکھے تھے۔

انڈے ابلتے رہے۔

پانی اڑتا رہا۔

برف پڑتی رہی۔

ہیٹر جلتا رہا۔

کوئی انڈے کھانے کے لیے اٹھا ہی نہیں۔

دیگچی آگ پہ رہی۔

اور

آگ سرد نہ ہوئی۔

اور پھر۔

سارے کمرے میں دھواں پھیل گیا۔

انڈوں کے بیچوں بیچ۔

نومولود بچے۔

پیدا ہونے سے پہلے ہی جل کر مر گئے۔

o

پہلی بارش

پہلی بار اس نے گلے لگایا۔
تو یوں محسوس ہوا
جیسے مدت سے گرمی اور دھوپ سے جلی مٹی پر برسات کا پہلا بادل آئے
اور برس جائے۔

o

آدم اور حوا

شروع میں ہمارے نام بہت سادہ تھے۔
آدم اور حوا۔
اب تو ہمارے کئی کئی نام ہیں۔
ایک اپنا۔ ایک بزرگوں کا۔ ایک آدھ زمانے سے مانگا ہوا۔
نام تو پہچان ہے۔
اور پہچان ضرورت ہے انجان کی۔
ہم تو ایک دوسرے کو صدیوں سے جانتے ہیں۔
بہت بوڑھے ہیں ہم دونوں۔
ہزاروں نسلوں سے یونہی چلے آرہے ہیں۔
پہلے آدم کے جسم کا کوئی ایک آدھ خلیہ۔

ابھی تک زندہ ہے۔

جو ہم سانس لیتے ہیں۔

یہی امانت ہم آگے کی نسلوں تک لے جائیں گے۔

اس امانت کے امین ہم دونوں ہیں۔

تم بھی، میں بھی۔

مگر دونوں

نہ تم تنہا، نہ میں اکیلا یہ بوجھ اٹھا سکتا ہوں۔

یہ مقدس فرض ہے۔

جو ہمیں انجام دینا ہے۔

خالق کی تخلیق کے تسلسل کو

قائم رکھنے کے لیے۔

ہمیں پیار کرنا ہے۔

مگر۔

ہمارے بزرگ جو اسی تسلسل کی کڑی ہیں۔

جو اسی منصب پہ ہیں۔

اور ہم سے سینئر ہیں۔

ہمارے اس تعلق کے منکر ہیں۔

وہ کسی ایسے رشتے کو نہیں مانتے۔ جس میں ان کا کوئی دخل نہ ہو۔

اگر ان کا کوئی دخل ہوتا تو ہم میں شاید یہ بے غرض تعلق نہ ہوتا۔

بس کوئی رشتے داری ہوتی۔

ایک بنا بنایا طے شدہ سلسلہ ہوتا۔

ایک ریکارڈڈ کیسٹ کی طرح۔اس میں کچھ بھرا ہوا ہوتا۔
اوراوپر کوئی لیبل بھی لگا ہوا ہوتا۔
مگر ہمارے چہروں پر کوئی مشترکہ مہر نہیں۔
سوائے اس کے کہ۔
ہم آدم اور حوا ہیں اور انہیں سے ہیں۔
ہم میں آپس کا، کوئی خون کا رشتہ ہی نہیں۔
کوئی رشتہ داری ہیں۔
مگر۔
آنے والے کچھ لوگوں کے خون کا رشتہ شاید ہمارے سانجھے خون سے ہو۔
کہ یہ رشتہ، تیرا اور میرا
دنیا بھر کے تمام رشتے تخلیق کرتا ہے۔

o

ٹرن ٹیبل

میں تو ایک پلے ریکارڈ ہوں۔

اور میرے انگ انگ میں تمہاری قربت سے کھدی ہوئی طلسمی لکیریں ہیں۔ تم اپنی لیزر سی نظر اٹھا کر مجھے دیکھتی ہو تو میرے وجود کے دائروں میں قید، تمہارے ہی ہونٹوں سے گنگنائے ہوئے میٹھے سر اور تمہاری سریلی مسکراہٹ کی سرگم گونجنے لگتی ہے۔ مسکراتے مسکراتے تم دھیرے دھیرے سے رک رک کر ہنستی ہو، تو لگتا ہے جیسے کرسٹل کے گلاس میں سونے کے چمچے سے چینی گھل رہی ہو۔

یہ تمہارے قدموں کی ٹک ٹک۔

تم میری طرف بھاگتی آ رہی ہو۔ ہسپتال کے چکنے شفاف فرش پر، یہ تمہاری چوڑیوں کی چھنچھناہٹ۔

تم نے بانہیں میری گردن میں پھیلا دی ہیں۔ ستاروں کی روشنی میں تم میرے

ساتھ چھت پر لیٹی ہوئی ہو۔ تمہارے ہاتھ دھیرے دھیرے میرے بالوں میں کنگھی کر رہے ہیں۔ اور میں تمہاری چوڑیوں کی چھن چھن کی لوری میں آنکھیں موندے جا رہا ہوں۔ بس میری آنکھوں میں آنکھیں ڈالے یونہی مجھے دیکھتی جاؤ کہ مجھے احساس نہ ہونے پائے کہ وقت گزر رہا ہے۔

تمہاری نظر سے میرے جسم پہ تمہاری لکھی تحریریں بول رہی ہیں۔

مجھے یونہی دیکھتی جاؤ۔

اپنی مہربان آنکھوں کے سورج کے نیچے۔

میٹھی دھوپ میں مجھے رہنے دو۔

اپنے ریشمی بالوں کے سائے میں۔

یہیں جانو۔ بس یہیں، یہ ریکارڈ بجنے دو۔

بس یہی۔ بار بار یہی۔

یہیں سوئی کو اٹک جانے دو۔

اس سے آگے اس ریکارڈ میں کچھ بھی نہیں۔

o

راستے کا پتھر

میں تمہارے راستے کا پتھر ہوں۔
مگر تمہارا راستہ بھی تو میں ہی ہوں۔
تم شاہراہ تو نہیں، تم آبشار ہو۔
ٹھنڈے میٹھے پانیوں سے بھری۔
اور میں تمہارے راستے پہ بچھا ہوں۔
تمہارا بستر ہوں۔
میرے وجود ہی سے تمہاری رفتار ہے۔
تمہاری آواز ہے۔
تمہارا سفر ہے۔
تمہاری پہچان ہے۔

اور تمہاری گہرائی کی انتہا بھی تو میں ہی ہوں۔
کناروں تک بھرا تمھارا وجود ہی تو سارا نہیں۔
وہ صرف تمھارا نصف ہے۔ جسے تم مکمل اپنا جسم سمجھتی ہو۔
باقی آدھا تو میں ہوں۔
انہی پتھروں کے ساتھ مل کر چلو۔
جو تمہارے راستے میں پیدا ہوئے ہیں۔
تمہیں روکنے کے لیے نہیں۔
تمہیں بہتے رکھنے کے لیے یہ بچھائے گئے ہیں۔
تم تنہا، اکیلی
پہلے کافی چل چکی ہو۔
میری آبشار، میری گود میں رہو۔
یونہی گود میں بیٹھے بیٹھے ان پہاڑوں کی سیڑھیاں اترو۔
اپنے میکے سے سسرال چلو۔
گھن گرج کے۔
بارات کے ساتھ۔
بچھڑنے کا خیال آئے۔
تو، توبہ کرنا۔
استغفار۔
میں اکیلا رہ گیا تو بنجر ریگستان
تم تنہا اڑی۔
تو ایک بادل

اور کروڑ ہا آنسو

اور دھرتی کے سینے سے اتنا فاصلہ

ساتھ چلو

چلتی رہو

اس سفر میں

تمہارا سینہ چوڑا ہوتا جائے گا۔

تم آبشار سے دریا بنو گی۔

میں ریزہ ریزہ ہو کے تمہارے اندر گھل جاؤں گا۔ تم میں مل جاؤں گا۔

تم سبز میدانوں میں بہو گی۔ تشنہ لبوں کو چوستے ہوئے۔

میں ان کو نیا پیراہن دوں گا۔

دھرتی کا قد اونچا کروں گا۔

ہمارا سفر یونہی ساتھ ساتھ چلتا رہے گا۔

چھوٹی چھوٹی شاخیں اور بے شمار نہریں، تمہارے جسم سے نکلتی رہیں گی۔

اور تم دریا سے پھر دھرتی بن جاؤ گی۔

دھرتی، جو سب کی ماں ہے۔

پتھروں کی بھی۔

اور پتھروں کے اندر سانس لینے والے کیڑے۔

انسان کی بھی۔

جو ثمر ہے ایک بوند پانی کا

اور تم دریا ہو۔

سمندر رہو۔

اٹل ہو۔

وسیع ہو۔لا محدود۔

مگر مقید ہو۔

میرے کھلے ہاتھوں کی مشترکہ ہتھیلی پر۔

اک دعا کی طرح۔

جسے ابھی مانگنا ہے۔

o

توہین عدالت

تمہیں دیکھا۔
تو لگا۔
تمہاری تلاش تھی مجھے۔
میں پہلے خط مستقیم میں چلتا تھا۔
پھر دائروں میں چلنے لگا۔
تمہارے گرداگرد۔
بڑے دائروں سے رفتہ رفتہ۔
چھوٹے دائرے۔
پھر تمہارے اتنے قریب۔
کہ میں چلتا تو تمہاری کہنیاں مجھے لگتیں۔

اور سوری میں کہتا۔
تم بھی تو چل رہی تھی۔
مگر میری طرح دائرے کے اندر منہ کیے ہوئے۔
ایک بار صرف ہماری آنکھیں چار ہوئیں۔ ورنہ دو، دو ہی رہیں۔
جب تم تھک گئیں تو رک گئیں۔
مجھے تمہارے تھکنے کا نہیں۔ تمہارے رکنے کا انتظار تھا۔
میں خوش ہوا۔
تم خوشی کو طنز سمجھیں۔
اور بھاگ ئیں۔
کسی اور دائرے میں۔
تم نے فیصلہ سنا دیا۔
تمہیں فیصلے کا حق تھا۔
فیصلہ جو بھی ہوا، تسلیم کرنا پڑا۔
کیونکہ احتجاج کا حق فیصلہ سننے والوں کو نہیں ہوتا۔

o

حماقت

ہم انٹرنیشنل ڈیپارچر میں کھڑے تھے۔

وہ زور سے میرا ہاتھ پکڑے ہوئے تھی۔ اس کا چہرہ زرد تھا اور ہاتھ ٹھنڈے۔ گم سم سی وہ ٹکٹکی لگائے مجھے دیکھے جا رہی تھی۔ حالانکہ اسے اچھی طرح سے میں نظر بھی نہیں آ رہا تھا۔ اس کی آنکھوں کے شیشے کہیں بھی فوکس نہ تھے۔ وہ گیلی گیلی آنکھوں پہ بار بار پلکیں جھپکتی۔

عجیب بے چینی سی تھی۔

دونوں بے ربط اور ٹوٹی ٹوٹی باتیں کر رہے تھے۔

کسی کو معلوم نہ تھا کہ ایسے وقت میں کیا کہتے ہیں۔ کیسے کہتے ہیں۔

اعصاب مفلوج تھے۔

سر بھاری۔

دونوں کنفیوزڈ۔

وہ بار بار گھبراہٹ میں وقت دیکھتی۔

کبھی دیوار پر لگے کلاک سے۔

کبھی میرے ہاتھ پہ بندھی گھڑی سے۔

اپنی گھڑی جیسے اس کی بند ہو چکی تھی۔

دونوں کی روحیں لہولہان تھیں۔

اندر ہی اندر کہیں خون رس رہا تھا۔

پھر اچانک فلائٹ اناؤنس ہوگئی۔

ہم دونوں میں سے کسی ایک نے دور جانا تھا۔

اور دونوں پر ایک سی کیفیت تھی۔

میں ایک دم بھاگنے لگا۔

وہ ہاتھ پکڑے ساتھ بھاگی۔

میں رکا۔

دونوں نے ایک دوسرے کو گلے لگانا چاہا۔

میں نے اس کے کندھے تھپتھپائے اور اس نے اپنا سر میرے سینے پر رکھ دیا۔

وہ کچھ کہنے لگی۔ ہونٹ کھلے مگر آواز نہ آئی۔

یاد کرو گے نا؟

اور کیا کروں گا۔

اچھا، خدا حافظ۔

اس کے ہاتھ کی گرفت ڈھیلی ہوگئی۔

مگر میں نے ہاتھ اس کے ہاتھوں سے دور نہ کھینچا۔

پھر چل پڑا۔

وہ ساتھ ساتھ لپکی۔

شاید میں رک جاؤں، اس نے سوچا ہوگا۔

میں سر نہوڑائے چل رہا تھا۔ ایک لمحے کے لیے مڑا۔

شاید یہ روک لے۔

مگر نہ اس نے روکا، نہ میں رکا۔

مسافروں کے آگے پیچھے چلتا گیا۔

مجھے مڑ کے دیکھنے کی بھی ہوش نہ رہی۔

وہ میرے ذہن میں ویسے ہی ساتھ چپکی کھڑی تھی۔

امیگریشن کے دروازے پہ پاسپورٹ پہ ایگزٹ (Exit) کی مہر لگ گئی۔

مجھے کچھ ہوش آیا۔ میں اکیلا رہ گیا تھا۔

واپس نہیں مڑ سکتا تھا۔

اور باہر نہیں آ سکتا تھا۔

میں لپک کے ذرا سا باہر کے دروازے کی طرف آیا۔

وہ اپنے باپ کے ساتھ گاڑی میں بیٹھی واپس جا رہی تھی۔

اس کا چہرہ بجھا ہوا تھا۔

آنکھیں جھکی ہوئی تھیں۔

وہ مجھے سوچ رہی تھی اور میں اسے دیکھ رہا تھا۔

وہ گھر چلی گئی۔

اور میں گھر سے دور۔

جہاز شہر کے در و دیوار سے بلند ہو رہا تھا۔

اور مجھے لگ رہا تھا جیسے میں ایک روح ہوں اور واپس جا رہی ہوں۔

سارا سفر انہی جھکی نظروں کو سوچتے گزرا۔

نئے ملک کی زمین پہ قدم رکھا۔

اور تنہا چلنے لگا۔

گھڑی پہ وقت دیکھا جو پرانا ہو چکا تھا۔

گزر چکا تھا۔

مگر جسے ابھی پھر سے گزرنا تھا، جسے پھر سے گزارنا تھا۔

دو گھنٹے پیچھے کیے۔

وہ دن میرے لیے چھبیس گھنٹوں کا دن تھا۔

اور ہر گھنٹے میں ساٹھ سال۔

کئی سال کا عرصہ گزر گیا۔

وقت ایسے گزرا جیسے کئی بار پیدا ہوا۔

اور ہر بار پیدا ہوتے ہی بڑھاپا آ گیا۔

پھر ایک دن واپسی کا آیا۔

جس دن کے انتظار میں اس طرف آیا تھا۔

کئی سال کی جدائیوں کے بدلے کچھ بھرے ہوئے، چمکتے اٹیچی کیس اور ان پہ بندھی رنگ برنگی ڈوریاں اور جیب میں رکھے کچھ ڈرافٹ۔

وہ ائرپورٹ پہ کھڑی تھی۔

کسٹم لاؤنج میں۔

اس کے چہرے پہ بے پناہ خوشیوں کی چمک تھی۔

میں نے اتنا کچھ تو نہیں کمایا۔

جتنا یہیں پیچھے تمہارے پاس تھا۔

یہ بے پناہ خوشیاں، جنہیں میں ترستا رہا۔ یہ تو پیچھے رہ گئی تھیں۔

تم کیوں چلے گئے تھے؟

اچھے دنوں کی آس میں۔

اس آس میں تم نے اچھے دن گنوا دیئے۔

ان پیسوں سے ہم جو چاہیں خرید لیں گے۔ میں نے ڈرافٹ اسے تھما دیے۔

یہ تو آج کے یہ دو گھنٹے بھی واپس نہیں لا سکتے۔ جو میں تمھاری گھڑی سے تفریق کر رہی ہوں۔ اس نے میری گھڑی کلائی سے کھول کے اپنی گھڑی سے ملا دی۔ دو گھنٹوں کے دو چکر اس نے ایک لمحے میں گھما دیئے۔

یہ دو گھنٹے تو کبھی میں نے گزارے ہی نہیں۔

چھوڑو۔ آج ملن کا دن ہے۔

وہاں تو تم وہ لمحے گزارتے رہے، جو گزار کے گئے تھے۔

ہاں، گزارتا بھی رہا، سوچتا بھی رہا۔

آج کچھ نہ سوچو، آج خوشی کا دن ہے۔ خوشی کے دن چھوٹے کیوں ہوتے ہیں؟ جیسے آج کا دن صرف بائیس گھنٹوں کا۔

اس سے پہلے کے کئی سال، جن کا ایک پل بھی ہمارا سانجھا نہ تھا۔

تنہا گزار دیئے، وہ صدیوں سے بھی لمبے تھے۔

اس نے اٹیچی کیس کھولے اور چمکتی قیمتی چیزوں کو دیکھ کر بولی۔

کاش یہ سب اتنی مہنگی نہ ہوتیں اور ہمیں ان کی اتنی قیمت نہ ادا کرنی پڑتی۔ مگر ان

کو خریدنے کے لیے اپنی زندگی بیچنا کیا ضروری تھا۔

میں اسے گلے لگا کر کتنی دیر سوچتا رہا۔

میں کتنا بے وقوف تھا اور کتنا بدقسمت بھی۔

o

کنفیوژن

بزدلی پھر مجھ سے ہوئی۔

وہ دو تھیں۔ دونوں کی آنکھوں میں ستارے تھے۔

میں نے انہیں سونگھے بغیر سوچ لیا تھا۔

دونوں کی خوشبو ایک ہو گی۔

میری آنکھوں پر کلر گلاسز تھے اور آنکھیں کلر بلائنڈ شاید۔ یا پھر دونوں کے رنگ ایک سے تھے۔ وہ رنگ ان کے اپنے تھے۔ یا پھر ان کے کپڑوں کے۔ میں نے چھو کے نہیں دیکھا تھا۔

میرے ہاتھ دو تھے اور ان کے چار۔

دو ہاتھوں میں۔ میں نے دو ہاتھ لے لیے۔

ان ہاتھوں کو چومنے سے پہلے۔ میں نے نہ جانے کیوں کہہ دیا۔

”وہ دو ہاتھ کتنے پیارے ہیں۔ وہ جو میرے ہاتھوں میں نہیں۔“

”کاش میں ان کو چوم سکتا۔“

یہ کہہ کر میں نے پکڑے ہوئے دونوں ہاتھوں کو چومنا چاہا۔

چاروں ہاتھ۔ میرے ہاتھوں سے نکل گئے۔

سوچتا ہوں میں احمق تھا۔ یا وہ بزدل۔

o

پتھر کے ہاتھ

نہر کنارے۔ شہر سے باہر۔

ہلکی ہلکی روشنی میں۔

ایک بڑے سے لمبے پارک کی چار خوبصورت کرسیوں پہ۔

سیمنٹ کی کرسیوں پہ۔ ہم اکٹھے مل کے بیٹھے رہے۔

ایک۔ دو۔ کئی گھنٹے۔

دو کرسیاں خالی تھیں۔

اور دو کرسیاں خالی نہیں تھیں۔

لیکن ان میں سے بھی پھر ایک خالی ہو گئی۔

حالانکہ۔ ہم میں سے کوئی بھی اٹھ کے نہیں گیا۔

رات کا پہلا پہر تھا۔

سر پہ چاندنی کو اک گول چاندنی نے
اپنے پتھر کے کھلے ہاتھوں سے ہم سے چھپایا ہوا تھا۔
جیسے یہ ہاتھ، ہمارے دیر تک بیٹھنے کی دعا مانگ رہے تھے۔

o

گیلی مٹی

وہ ان کا سانجھا باغ تھا۔
مگر انہیں ان کے حصے کے پھل پھول نہ ملتے تھے۔
کبھی ان کا باپ باغ کا مالک تھا۔
پھر باغبان بن گیا۔
وہ ہر پیڑ کو پانی دیتا۔
مگر دیکھتا
کہ ان کے سائے میں دوسرے لوگ چارپائیاں بچھا کر لیٹتے ہیں۔
وہ پھلوں کے پکنے کا انتظار کرتا رہتا۔
مگر دوسرے کچے پھلوں کو توڑ لیتے۔
اور جو پک جاتے وہ بھی خود ہی اتار کر اپنے گھروں میں بھر لیتے۔

وہ لوگ بھی اسی باغ کے باسی تھے۔

مگر سارا باغ تو ان کا نہ تھا۔

اس نے ایک دن پنچائت بلوائی۔

اور کہا۔

یہ چار پیڑ تو ہمارے ہیں۔

ان کا سایہ صرف ہمارے سروں پہ ہوگا۔

اور ہم اب دھوپ میں نہ بیٹھیں گے۔

ان کے پھل پھول بھی ہمارے ہوں گے۔

کہ اب ہم اور بھوکے نہیں رہ سکتے۔

ہم میں اور دوسرے باغ والوں میں بہت فرق ہے۔

ہم سب نہ اکٹھے مل کر سائے میں بیٹھ سکتے ہیں۔

نہ دھوپ میں چل سکتے ہیں۔

نہ ایک برتن میں کھا سکتے ہیں۔

ہم اپنے درختوں کے چاروں طرف ایک دیوار کھینچ دیں گے۔

باغ کو تقسیم کر لیں گے۔

بہت شور ہوا۔

خون خرابا ہوا۔

مگر وہ حق پہ تھا۔

فیصلہ اسی کے حق میں ہوا اور اس نے اپنے پیڑوں کے گرد ایک دیوار کھینچ لی۔

اس کو اس کے آباؤ اجداد کا حصہ مل گیا، مگر دیوار بناتے بناتے، اس کی آخری اینٹیں لگاتے ہوئے وہ گرا اور مر گیا۔

اور اس کا خون دیوار کی بنیاد بن گیا۔

اس کے بچوں نے اسی بنیاد کے گارے سے دیوار پر پوچا کیا۔

باپ کی کچی قبر پر پھول ڈالے۔ اس کی قبر تو دیوار تھی۔ دیوار کی مٹی چھپ گئی۔ مٹی میں جذب ہوا خون بھی چھپا دیا گیا، کہ آنے والے ان کے بچے اسے نہ سونگھ سکیں، نہ دیکھ سکیں۔

اندر چراغاں کیا۔ اگر بتیاں جلائیں۔

اپنے باپ کی موت کے سانحے کو تہوار بنا لیا۔ دیوار سے نظریں ہٹا لیں۔ درختوں پر لگائیں۔ درختوں کے پھل پھول کچے پکے توڑنے لگے۔ پیٹ میں جتنی گنجائش ہوتی اس سے زیادہ وہ اس کو بھر لیتے۔ پھل تو گنے چنے تھے۔ کچھ کے پیٹ زیادہ بھر گئے تو کچھ پیٹ خالی لے کر پھرنے لگے۔ بھرے پیٹ والوں نے پھل دار درختوں کو آپس میں بانٹ لیا۔ وہیں ڈیرے بنا کے وڈیرے بن گئے۔ پھل دار درختوں پہ مچانیں ڈال لیں اور اپنے ہی باغ میں شکار کھیلنے لگے۔

ایک دن، اک شریر بچے نے اونچی کھڑی دیوار کی گیلی گیلی مٹی میں اپنی ایک انگلی ڈالی اور سوراخ کر دیا۔ پھر اس سوراخ پہ اپنی آنکھ رکھ کے پڑوسیوں کے پھل پھول دیکھنے لگا۔

سوراخ کے پیچھے بہت سی آنکھوں کی قطار بن گئی۔

وہ باری باری آنکھیں بدلتے اور تماشا دیکھتے۔

وہ ان کا کھیل بن گیا۔ وہ اپنے درختوں کو پانی دینا چھوڑ کر اس سوراخ پہ آنکھیں رکھے بیٹھے رہتے۔

پھر کئی سوراخ بنا لیے۔

اور سارے سوراخ کھرچ کھرچ کے بڑے کر لیے۔

ایک دن

پڑوس والوں کے باغ میں موسم بدلا۔

بارش ہوئی۔

طوفان آیا۔

ان کے دریا اچھلنے لگے۔

پڑوسیوں نے اپنی بستی بچا کر سارا پانی دیوار کی طرف دھکیل دیا۔

دریا دیوار پر ٹکریں مارنے لگا۔

انہوں نے اپنی انگلیاں سوراخوں میں ڈالیں۔

مگر سوراخ بڑے تھے۔

سوراخوں کا سائز ان کے سرداروں کے سروں جتنا تھا۔ وہ سروں کو مضبوطی سے پکڑے بیٹھے سوچنے لگے کہ کیوں نا بستی سے چھوٹی ذات کے سر پھرے سر اکٹھے کر کے لے آئیں، جنہیں پتھروں کی طرح دیوار میں چن کر دشمن لہروں کو روک سکیں۔ جوان کی دیوار کو گرانے پر تلی ہوئیں تھیں۔

انہوں نے بستی سے اپنے کمی کار بلوائے اور ان کے سروں کو سوراخوں میں ڈھونسنے لگے۔ مگر کمی کاروں کے سر تو دولے شاہ کے چوہوں جیسے تھے۔ چھوٹے، بے علم، بے ہنر، بے سلیقہ، تب بستی کے سردار اپنے سر پکڑ کر بیٹھ گئے اور پچھتانے لگے کہ، کیوں انہوں نے اپنے سر بڑے رکھنے کے لیے ساری بستی کے سروں پہ لوہے کے پیالے چڑھائے۔

ان کے سوچتے سوچتے طغیانی کا زور بڑھ گیا۔ ان کے پیروں میں چکنی مٹی گیلی ہونے لگی اور ان کی مٹی اور ان کے پیروں کے درمیان پڑوسیوں کا فالتو پانی پھرنے لگا۔ ان کے پاؤں پھسل گئے۔ زمین نیچے سے کھسک گئی۔

اور وہ اپنے ہی صحن میں غوطے کھانے لگے اور ان کی بستی کے چھوٹے سروں والے چھوٹے لوگ درختوں پہ چڑھ کر ان کا تماشہ دیکھنے لگے، جیسے سانپوں کو پانی میں ڈوبتے دیکھ رہے ہوں۔

کوکا کولا

مشروبات کی دکان سے میں ہمیشہ کوکا کولا اٹھاتا ہوں۔
اس کی پتلی سی کمر پکڑ کے، ٹھک سے اس کا ڈھکن کھولتا۔
اس کے میٹھے لطیف سیال میں سے گیس ابلتی
اچھلتی۔
اور میں اس کے ہونٹوں سے ہونٹ لگا کر، بنا اسٹرا ڈالے۔
ایک ہی گھونٹ میں غٹا غٹ پی جاتا۔
ایک دن۔
دھوپ زیادہ تھی۔ گرم تھی اور سر پر تھی۔
میں تھکا ہوا تھا۔
بہت پیاسا تھا۔

کوکا کولا پکڑی۔

اس کے ٹھنڈے ملائم شیشے پہ ہاتھ پھیرا۔

اسے کمر سے پکڑ کر خوب ہلایا۔

گیس کے ننھے ننھے بلبلوں کا جلوس ابھرا۔

ہاتھوں میں گدگدی ہوئی۔ ایک چٹکی نمک کی بھر کر ڈال دی۔

بوتل کے اندر بھونچال اٹھا۔

سارا پانی اچھل کے بہہ گیا۔

میں پیاسا رہا۔

مگر بھیگ گیا۔

o

گلابی تولیہ

وہ مجھے الوداع کہنے دروازے تک آئی۔

اچھا۔ چلتا ہوں۔

میں مڑا۔

سنیے۔

یہ لیں تولیہ۔ چہرہ پونچھ لیجیے۔

لیکن نہ نہایا ہوں۔ نہ منہ دھویا ہے۔

آپ لیں نا۔

سفید براق دھلا ہوا تولیہ۔

میں نے اچھی طرح منہ پہ پھیرا۔

ماتھا، ناک، کنپٹیاں اور ہونٹ سب رگڑ رگڑ کر صاف کر لیے۔

شکریہ۔
تولیہ اسے واپس تھمارہا تھا کہ نظر پڑی۔
تولیہ جگہ جگہ سے گلابی تھا۔
میں نے سٹ پٹا کر اسے دیکھا۔
وہ سر جھکائے اپنے پھیکے ہونٹوں سے مسکرا رہی تھی۔
جیسے اگر بتی جلنے کے بعد خوشبو دے رہی ہو۔

o

گنہگار

میں اکیلا گنہگار نہ تھا۔

کئی اس کے دعوے دار تھے۔

کسی چمکتے فریم میں جڑی، کیمرے کی آنکھ سے آنکھ ملا کر کھنچائی ہوئی تصویر کی طرح وہ ہر کسی کو اپنی طرف دیکھتی ہوئی نظر آتی۔

پہلے پہل میری نظر اس پر پڑی تو مغالطہ سا ہوا۔

پھر روز دیکھنے کا بہانہ میں نکالتا اور موقع وہ دیتی۔

وہ واقعی میری طرف دیکھا کرتی تھی۔

مجھے اپنی آنکھوں پہ اعتبار سا آنے لگا۔

وہ ٹھوڑی کے نیچے ہتھیلی رکھے۔ ٹکٹکی لگائے مجھے دیکھتی رہتی۔

اس کی آنکھوں میں کفر تھا۔

انہیں تکتا۔
تو دنیا بھر کی آنکھوں کا منکر ہو جاتا۔
اس کے سامنے۔
اسی کمرے میں۔
دو چار قدم آگے پیچھے بھی ہوتا۔
دائیں بائیں ہو کے تکتا۔
پھر پلٹ کے اسے دیکھتا۔
وہ مسلسل مجھے دیکھتی رہتی۔

اور۔
اندر ہی اندر۔
اپنی آنکھوں اور ہونٹوں۔
دونوں کے پیچھے۔
اور حلق سے تھوڑا اوپر۔
کہیں مسکراتی رہتی۔
اس کے چہرے اور جسم پر ایک تازگی سی رہتی۔
جیسے تازہ تازہ پکے ہوئے فروٹ پر ہوتی ہے۔
میں ہاتھ میں چھری اور بغل میں اسے لیے گھومتا رہتا۔
ایک روز ایک عجیب سا وہم ہوا۔
یہ کہیں مجھ سے چھن نہ جائے۔
آج یہ میری ہے۔
کل کوئی اسے چرا نہ لے۔

آج یہ مجھ کو تکتی ہے۔ کل یہ نظریں گھما نہ لے۔

میں اس کی آنکھوں سے کہیں نکل نہ جاؤں۔

میں کانپ گیا۔

دو قدم آگے بڑھا۔

اسے اٹھا کر اپنی گود میں لیا۔

چوما۔

آنکھوں اور دل سے لگایا۔

اور پھر۔

اسے سنہری چمکتے فریم سے نکال کر اپنے پہلو میں میز پر رکھا۔

اور۔

ایک کالی پنسل سے اس کی آنکھوں کی پتلیوں کے کالے دائروں کو اپنی طرف سرکانے لگا۔

پھر۔

اسی طرح اسے فریم میں سجا کر۔ میز پر کھڑا کر کے۔

چار قدم پیچھے ہٹ کر اسے دیکھا۔

وہ کہیں اور دیکھ رہی تھی۔

o

زم زم

شاید میں ان پڑھ تھا۔
اور صرف اپنا نام لکھنا اور پڑھنا جانتا تھا۔
مگر کہیں میرا نام نہ تھا۔
میں گم نام تھا۔
بے نام تھا۔
یا میرے نام کی عبارت والی آنکھیں سیاہ چشمہ لگائے پھرتی تھیں۔
میں شہر کی ہر گلی میں گیا۔
ہر سڑک پر۔ ہر چوراہے پہ گھوما۔
جب کہیں دو آنکھیں ملتی۔
مجھ سے سوال کرتیں۔

تمھارا نام کیا ہے۔

میں چپکے سے کھسک جاتا۔ جواب دیے بغیر۔

مایوس اور سر جھکائے ہوئے۔

مجھے تمھاری آنکھوں کا انتظار تھا۔

ان آنکھوں کا جو مجھے پہچان لیتیں۔

اور کہتیں۔

تم آ گئے۔

شہر میں آنکھوں کا ہجوم تھا۔

کالی، بھوری، نیلی، موٹی، لمبی بے شمار آنکھیں تھیں۔

کھلی ادھ کھلی۔

مسکراتی چنچل آنکھیں۔ اداس مخمور آنکھیں۔

پسینے سے شرابور۔ جذبوں سے ابلتی آنکھیں۔

ٹھنڈی سرد رات جیسی منجمد آنکھیں۔

ایک منڈی تھی۔

اور تھوک کا بیوپار تھا۔

کوئی دکاندار، کوئی خریدار تھا۔

کچھ آنکھیں ایسی بھی ملیں جن میں پتلیاں نہیں خالی جھروکے تھے۔ ان میں ہر نام کی تختی سج جاتی تھی۔

ان آنکھوں کے پیچھے ان کے ماتھے کے اندر ناموں کی تختیوں کی اک دکان تھی اور ان آنکھوں کے نیچے رنگے ہوئے پکے ہونٹ۔ جن پر ہر ایک کے لیے ''ویل کم''

لکھا ہوتا تھا۔

ویل چھوٹا سا اور "کم" بڑا سا۔

ایسی آنکھوں کی آنکھ میں، میں نے کبھی آنکھ نہ ڈالی۔

کئی بار ایسی آنکھوں نے میرا پیچھا کیا۔

اور میرے قریب آ کے پوچھا بھی۔

شاید تمہیں وہ سب مل جائے۔ جسے تم ڈھونڈ رہے ہو۔

میں نے انہیں دیکھے بغیر کہہ دیا تھا۔

چمڑا منڈی سے کبھی زعفران نہیں ملتا۔

تو پھر ادھر آئے کیوں۔

میں آیا تھوڑی ہوں۔ میں تو گزر رہا ہوں۔

میں تو تمہیں ڈھونڈنے کے لیے شارٹ کٹ مارتا تھا۔

میں تھک چکا تھا۔

میں جانتا تھا۔ میرا نام کہیں دور جھکی ہوئی تمہاری آنکھوں میں کھدا ہوا ہے۔ لفظوں کی ان گنت گنتی میں میرے نام کے تھوڑے سے لفظ کہیں نہ کہیں الٹے سیدھے لگا کر ایک نام تم نے بنا لیا ہوگا۔ ایک نام دے دیا ہوگا۔

اور میرا نام وہ تو نہیں ہے۔

جس سے لوگ پکارتے ہیں۔

میرا نام تو وہ ہے۔

جو تم نے مجھے دیا ہے۔

جو تمہارے ہاتھوں نے بے خیالی میں کہیں لکھ کے پھر کاٹ دیا ہوگا۔

پھر بدحواسی سے ادھر ادھر دیکھا ہوگا۔

اپنے ہاتھوں کو جیبوں میں چھپایا ہوگا۔

اپنے دانتوں سے اپنے ناخن کو تراشا ہوگا۔

اور اس کاغذ کو چڑ مڑ کر کے ڈسٹ بن میں پھینک دیا ہوگا۔

مگر پھر چپکے سے صبح ہونے سے پہلے

ڈسٹ بن سے وہی کاغذ نکال کے بل کھول کے دیکھا ہوگا۔

میں جانتا ہوں۔

میں نے تمہیں دیکھا ہوا ہے۔

مگر اس وقت میرے چہرے پر آنکھیں نہیں تھیں۔

صرف ایک احساس سا میری روح میں ہے۔ جیسے میں صدیوں سے تمہیں جانتا ہوں اور تم سے پہلے کسی کو نہیں جانتا تھا۔

تمہاری خوشبو سے آشنا ہوں۔

خوشبو جو کبھی جھوٹ نہیں بولتی۔ جو ایک ایسی چوڑی لمبی ہائی وے کی طرح ہے جس کے ہر ایک کلومیٹر پر آنے والے شہر کا نام اور بقیہ فاصلہ لکھا ہے۔ ایسی شاہراہ مسافر کو بھٹکنے نہیں دیتی۔

مگر میں تو اسی شاہراہ کو ڈھونڈتا رہا۔

ایسی شاہراہیں تو شہر کے باہر سے شروع ہوتی ہیں۔

میں شہر کے اندر کی چھوٹی چھوٹی کچی پکی سڑکوں پہ ہی پھرتا رہا۔

میں نے خوشبوؤں کا پیچھا کیا کہ کوئی مہک تو تمہارے گھر کی دہلیز تک لے جائے۔ مگر ہر راستے پر چل کر مجھے یوٹرن کرنا پڑا۔

شہر میں بہت باغ تھے۔

رنگ تھے۔ پھول تھے۔ تتلیاں تھیں

میرے پاس بھی ایک البم تھی۔

میں نے اسے ڈائری بنالیا۔

تتلیاں رنگین تھیں مگران کے رنگ کچے تھے۔

وہ ہاتھوں میں بعد میں آتیں۔

ان کے رنگ پہلے ہاتھوں کو رنگ جاتے۔

میری ڈائری میں جو رنگ ہیں وہ میری انگلیوں کے نشان ہیں مگر ان رنگوں میں کوئی خوشبو نہیں۔ خوشبو تو تمھارے گھر سے شروع ہوتی ہے۔

میں نے ہاتھوں کے لمس کو تیری خوشبو کی امانت سمجھا اور ہر نئی صبح کی مقدس روشنی میں تیرے پیار کی چاندنی کا ساتھ مانگا اور یہ دعا بھی کی کہ یہ چاندنی کبھی دھوپ کی محتاج نہ ہو۔

میرے لیے نہ دھوپ اہم تھی۔ نہ چاندنی نہ اندھیرا۔

میں صرف مقدس لمحوں کی اس صبح کا منتظر تھا۔ جب چاندنی ابھی غروب نہ ہوئی ہو۔ ایسی صبح ہے۔

یہی ازل سے تیرے گھر کی دہلیز پہ ٹھہری ہوئی تھی۔

میں نے اس روشنی سے تمہارے گھر کا راستہ پوچھا۔

روشنی جو صبح کی ماں ہے۔

جسے وہ اندھیری کوکھ سے جنم دیتی ہے۔

ہر صبح اندھے دیس میں سورج کا چراغ جلاتی ہے۔

اور سورج جسے آج تک کسی تاریک لمحے نے نہیں دیکھا۔
وہ آفاقی سچائی ہے۔
میں اسی سچ کا چراغ اٹھائے ہر چہرے کے پاس گیا۔
کہ شاید کوئی چہرہ تمھارا ہو۔ جو مجھے پہچان لے۔
کہ تمہاری پہچان صرف یہی تھی۔
میری آنکھیں پتھرا گئیں۔
میں ریگزاروں کی تپتی ریت پر ننگے پاؤں چلتا رہا۔
گول دائروں میں۔
میرے پیروں میں چھالے پڑ گئے۔
پیاس سے حلق خشک ہو گیا۔
میں تھک کے ٹوٹ رہا تھا۔
کہ
تم نظر آ گئیں
جیسے ایک کنواں ابھر آیا۔ صحرا میں
میں نے لرزتی خشک زبان سے خوشی سے چیخ ماری۔
ٹھہرو۔ ٹھہرو!
میں تمھارے لیے ہی تو ٹھہری ہوں۔
اور تم نے اپنے ٹھنڈے میٹھے پانی کے چشمے کو میرے ہونٹوں سے لگا دیا۔
پیو۔ جی بھر کے پیو۔
اور پینے سے پہلے اور پیتے ہوئے کچھ مانگ لینا۔

اور میں نے مانگا۔
کہ تم پلاتی رہو۔
میں پیتا رہوں۔
اور پیاسا رہوں

o

شناختی کارڈ

میں تمہاری آٹوگراف بک کا وہ کاغذ تھا جس پہ تمہارا نام لکھا ہوا تھا۔تم نے مجھ سے آٹوگراف مانگے تو میں نے تمہارے نام کے آگے کی خالی جگہ پہ اپنا نام لکھ دیا اور نیچے تمہارے ہی دستخط رہنے دیے،تم نے باقی کے سارے صفحے اکھاڑ کر پھینک دیے۔ اس کاغذ کو ماتھے سے چپکا لیا اور اسے اپنا شناختی کارڈ بنا لیا۔

بہت عرصہ وہ تمہاری شناخت رہا۔

تمہاری ڈائری میں اس کا نمبر ہوتا اور تمہاری سب سے اوپر کی جیب میں وہ موجود رہتا۔

اور پھر۔

ایک روز تم نے شناختی کارڈ کے دفتر میں درخواست دی کہ تمہارا پرانا کارڈ گم ہو گیا ہے۔

تمہارے جاننے والوں نے تم سے میری گمشدگی کی خبر سنی۔
ہاں میں گم ہو گیا تھا۔
تم نے چلتے چلتے کہیں کسی ہجوم میں مجھے نیچے سڑک پر گرادیا تھا۔
پلٹ کے تم ڈھونڈنے نہیں آئی۔
شاید تم نے مجھے ڈھونڈنا چاہا۔
لیکن تمہارے فیصلہ کرنے سے پہلے۔
کسی اور نے تمہیں تلاش کر لیا۔
تمہارے نئے شناختی کارڈ میں تمہارا نام کچھ اور تھا۔
مجھے لگا جیسے۔
تم نے صرف میرا نام بدلا ہے۔

o

گدڑی میں لعل

میں وہ تنگ سی، ٹیڑھی میڑھی سیڑھیاں چڑھ کے اوپر نہ آتا، اگر اس کی سانولی سی بہن یہ نہ کہتی۔

وہ۔ چاندنی اوپر ہے۔

اور اوپر کوئی نہیں۔

وہ بھی سو رہی ہے۔

سیڑھیوں کے آخر میں صحن تو نہ ہونے کے برابر تھا، مگر برابر میں بائیں ہاتھ ایک اندھا سا کمرہ تھا۔

کالا سیاہ کمرہ۔

جہاں سفیدی کی جگہ دھواں چپکا ہوا تھا۔

اور اس کے اندر کالی کالی۔ میلی میلی چیزیں۔

جیسے چمڑے کے پرانے بیگ میں۔ بوٹ پالش، برش اور جوتے الٹے سیدھے پڑے ہوئے ہوں۔

دیوار کے ساتھ۔ چارپائی۔

اور چارپائی پہ پڑی بڑی سی گندی میلی سی ایک بدرنگ رضائی۔

کوئی نہ کوئی اندر تھا۔

یقیناً سویا ہوا۔

مگر اوپر تو صرف چاندنی ہے اور وہ بھی سوئی ہوئی۔

میں نے چارپائی کے دونوں طرف ہاتھ مارے۔

مگر اس کا سر نہ جانے کس طرف تھا۔

o

بینائی

وہ اچانک افسردہ سی ہو کر سوچنے لگی۔

اور پھر بولی۔

خدا جانے آنے والے دنوں میں ہم ساتھ رہیں یا نہ رہیں۔

میں نے اس کے منہ پہ ہاتھ رکھ دیا اور لرز کے بولا۔

ایسے نہیں کہتے۔ ہماری زندگی کا ہر نیا دن، ہمیں یونہی اکٹھے دیکھے گا۔

اور اگر کوئی دن ایسا نہ ہوا تو پھر وہ صرف ہو گا۔ ہم نہ ہوں گے۔

وہ میرے گلے سے لپٹ کر سسکنے لگی۔

اور میں نے کہا۔ جانو۔ آنے والے دنوں کے جو خدوخال میرے ذہن میں ہیں۔ ان میں تمہارا ساتھ ایسے ہے۔ جیسے میرے ساتھ میری آنکھیں۔

اس نے میری آنکھوں کو چوم لیا۔

میں نے اس کا چہرہ ہاتھوں میں تھاما اور کہا۔

میری آنکھیں روشنی کی نہیں تمہارے ساتھ کی محتاج ہیں۔

تم ساتھ ہو تو دنیا نظر آتی ہے۔
تم دور جاؤ تو میں اندھا ہو جاتا ہوں۔
بہت سال گزر گئے۔
نہ وہ دور گئی نہ اندھیرا ہوا۔
ایک مسلسل دن۔
گزرتا گیا۔
ہاتھ تھک گئے۔
نسیں ابھر آئیں۔
پٹھے لٹک گئے۔
چہرہ استعمال شدہ لفافے کی طرح چڑ مڑا گیا۔
دنیا کی آنکھوں میں سفیدی آ گئی۔
اور اپنی آنکھوں میں موتیا اتر آیا۔
شام ہونے لگی۔
اسی جھٹ پٹے میں ہاتھ مارے۔
اور ہاتھ میں ایک لاٹھی آئی۔
اس نے کہیں سے نکل کر لاٹھی چھین لی۔
مجھے تھام لیا۔
اپنے کندھے پہ میرا ہاتھ رکھ کے بولی۔
کاش تم نے آنکھوں کے بعد کی کائنات میں بھی مجھے ساتھ سوچا ہوتا۔
سوچا تھا۔ سوچا تھا اور تم وہی ہو۔ جس سے دکھائی دیتا ہے۔ دیکھنے والا آنکھوں سے دیکھے یا نہ دیکھے۔

o

عقل

عصر کا وقت تھا۔

وہ مجھ سے چپک کے سکوٹر پہ بیٹھی تھی۔

نہر کے کنارے۔

کھلی سڑک، جس کے دونوں طرف اونچے اونچے درخت۔

ہوا تیز تھی۔

کچھ ٹھنڈی، کچھ گرم۔

دھوپ اور سائے ہم پر باری باری سرک رہے تھے۔

قمیض کے بٹن کھلے تھے۔

اور۔

وہ سکوٹر پہ بیٹھی بیٹھی میری قمیض کے اندر گھسنے کی کوشش کر رہی تھی۔

مجھے گردن اور پشت پہ گدگدی ہو رہی تھی۔

نہ کرو۔ نشان پڑتے ہیں۔

جان بوجھ کے کر رہی ہوں۔

کیوں، پاگل ہو۔ کسی نے دیکھ لیا تو۔

اچھا ہے نا۔ انہیں عقل آ جائے گی۔

o

گٹھلیاں

سیب کے پیڑ پہ آم بھی تھے۔
میں نے سیبوں سے آموں کا بھاؤ پوچھا۔
اور بھاؤ طے کیے بغیر ہی۔
کئی آم۔
ٹہنیوں پہ لگے لگے ہی اچھل اچھل کے چوس ڈالے۔
اور ان کی خالی گٹھلیوں کو۔
ان کے پتوں میں لپیٹ کر وہیں لٹکتے چھوڑ کر۔
تھوڑے سے سیب توڑ کر بھاگ آیا۔
سوچ رہا ہوں۔

کہیں ان میں بھی کوئی گٹھلی نہ نکل آئے۔

کیونکہ گٹھلی سے پیڑ نکلتے دیر نہیں لگتی۔

o

تیسرا قدم

ہم اجنبی تھے۔

ایک قدم بھی ابھی ایک ساتھ نہ چلے تھے۔

مگر جانتے تھے۔

کہ قدرت نے ہمیں چلنا صرف ایک دوسرے کے ساتھ چلنے کے لیے سیکھایا ہے۔

پہلی بار میں اس کے ساتھ چلا تو اس کا ہاتھ میرے ہاتھ میں تھا۔ میں نے پہلے قدم سے دوسرے قدم کے درمیانی وقفے میں اس سے پوچھا۔

کیا یہ سفر ساتھ چلنے کا، ہماری سانسوں جتنا طویل نہیں ہوسکتا۔

اس نے پاؤں زمین پر رکھ کے پھر اٹھا دیا۔

اور اپنا دوسرا ہاتھ بھی میرے ہاتھ میں دے دیا اور کہا

زمین صرف ان کے قدم روکتی ہے جن کے پاؤں میں ''بدگمانی کے جوتے''

ہوں۔ ایسے جوتوں پر سریش لگی ہوتی ہے، ایسے جوتے ہوں تو دور تک چلا نہیں جا سکتا۔ مگر دیکھو میں ننگے پاؤں تمہارے ساتھ چل رہی ہوں۔

میں نے اس کے تلوؤں کے نیچے اپنی ہتھیلیاں رکھ دیں۔

اور ہوا کے دوش بھاگنے لگا۔

ہمارا تیسرا قدم ہوا میں تھا۔

ہوا اور زمین دونوں ہماری راز دار ہیں۔

اور ہمارے راستوں کی پہرے دار بھی۔

o

بلینک چیک

وہ آٹوگراف بک کی بجائے چیک بک لے آئی۔
اور دستخط مانگے۔
اور کہا کچھ لکھیے۔ جو یادگار ہو۔
میں نے کورے کاغذ کو کورا چھوڑ کر۔
اس کی سب سے نچلی سطر پہ اپنے دستخط کر دیے۔
اور ساتھ لکھا۔
جو بھی اوپر لکھ دو۔
میں اس سے متفق ہوں۔
کہ میں تو خود۔ تمہارے فیصلے کا منتظر ہوں۔
اور تمھارے ہر فیصلے کی سند بھی۔

مگر میں ابھی تک کیش نہیں ہوا۔

شاید وہ ابھی تک بیٹھی سوچ رہی ہے کہ اوپر خالی جگہ میں کتنے صفر لگائے کہ اس کا چک صفر نہ ہو۔

o

املتاس اور سائے

اور ایک دن میں نے دھرتی کا گول چکر پورا کر لیا۔

ایک بڑا نخلستان نظر آیا۔

صحرا کی گرم ریت نے میرے پاؤں چھوڑ دیے اور مجھے گیلی گیلی ٹھنڈی ٹھنڈی مٹی کے سینے پہ اتار دیا۔ وہاں ٹھنڈے پانیوں کے چشمے تھے۔ جھرنے تھے۔ ندیاں، نہریں، ہرے پتے اور ٹھنڈے سائے تھے۔

میں رک گیا۔

اس نخلستان کے بیچوں بیچ ایک بڑے اونچے چبوترے پر ایک دلہن کھڑی تھی۔ جسے صدیوں پہلے میں بیاہنے آیا تھا۔ سارے نخلستان کے پودے اور درخت سر جھکائے اس کے گرد مودب کھڑے تھے۔ اس کے سر پہ تاج تھا اور زمین کی کوکھ سے نکلے ہوئے سارے سونے کو اکٹھا کر کے، اس کے جھمکے بنا کر، اس نے اپنے جسم پہ

پہنے ہوئے تھے۔

وہ سبز پریوں کے دیس میں ایک سنہری پری تھی۔

صدیوں پہلے۔

میں یہیں کہیں ایک قافلے سے بچھڑا تھا۔

ایک زور کی آندھی تھی۔

ایک بدمست ہاتھی جیسا سیلاب تھا۔

منزل اوجھل ہوگئی۔ راستہ بھٹک گیا۔

کسی ایک قدم کا نشان بھی نہ ملا۔ جو کسی اپنے کا ہو۔ جس پہ پاؤں رکھوں تو وہ چلنے لگے۔

تنہا۔ اکیلا۔

ننگے پاؤں۔ ننگے سر۔

میں اس دھرتی کے سینے پہ ایک جوتے کی طرح ادھورا رہ گیا۔

پیروں کے نیچے مٹی کھسکتی رہی۔

ریت دبتی رہی۔

پتھر تلوؤں کا لہو چاٹتے۔

اور پانی۔ سارے زخموں کو غسل دیتا اور نمک ڈالتا۔

میں مگر چلتا رہا۔

سر پر ایک سورج اٹھائے پھرتا، جو رات کو بھی چمکتا رہتا۔

اور درمیان میں بادل کا ایک بھی ٹکڑا نہیں تھا۔

جیسے سارے بادل جی بھر کے کہیں برس چکے تھے اور میرے حصے میں ایک بوند بھی نہ ہو۔

میں چلتا رہا۔

جب چلنا شروع کیا تو دھرتی چپٹی تھی۔ سفر جاری رہا۔ دھیرے دھیرے یہ گول ہونے لگی۔ دھرتی بنانے والے کو رحم آ گیا۔

ریگزاروں کے بعد ایک نخلستان آ گیا۔

اس کے سائے میں ٹھنڈک تھی۔

اور ٹھنڈک میں خوشبو۔

خوشبو میں پہچان گیا۔

یہ خوشبو ہی تو میرے اندھے سفر میں قطب ستارہ تھی۔ اسی سیدھ میں تو میں مدتوں سے چلا آ رہا تھا۔

بہت پہلے میں اسی طرف آ رہا تھا۔

جب راستے میں زمین پھٹ گئی۔

اور زمین کے اندر سے اک سمندر نکل آیا۔

مجھے خوشبو کو پانا تھا مگر مجھے تیرنا نہیں آتا تھا۔ میں نے سمندر میں چھلانگ نہیں لگائی اور دوسری طرف منہ کر کے۔ واپس زمین پہ چلتا گیا کہ کہیں تو سمندر پہ پل ہوگا۔

یہ دھرتی گول ہی ہوگی جو پھٹ گئی ہے۔

چلتے چلتے میرے پاؤں گھس گئے۔

میرے ہاتھ ہلتے ہلتے چر گئے۔

کہ ملن کا سمے آ گیا۔

میری دلہن میرے سامنے تھی۔

میں نے اس کے سنہری ہاتھوں کو پکڑا اور چوم لیا۔

سنہری پھولوں کے اندر دو بڑی بڑی آنکھیں کھلیں۔

ہوا کا ایک جھونکا آیا۔ سنہری پری کے سنہری پر پھڑ پھڑائے اور کچھ سنہری پھول گر کے میرے چہرے پر سہرے کی طرح لٹک گئے۔ اس کے سنہری بالوں میں پیوست ایک گلاب کا پھول مسکرایا۔ اس کی پتیاں ہلیں۔

خوشبو کا ایک ریلا آیا اور آواز آئی۔

مسافر تم کہاں گم ہو گئے تھے۔

تمہیں یاد نہیں بہت پہلے اسی نیلے آسماں کے نیچے۔ اس دھرتی کے سینے پہ میں نے یہی عروسی جوڑا پہنا تھا۔ جو ابھی تک اتارا نہیں۔ میں نے مہندی والی رات، اپنے مہندی والے ہاتھ اٹھا کے آسمان کے خدا سے دعا کی تھی۔ کہ اے بادلوں اور بارشوں کے خدا۔ ایک زوردار بارش برسا۔ جس میں پانی کم اور پھول زیادہ ہوں۔

سنہری پھول۔

جن میں ابٹن کی مہک ہو۔

مجھے پتہ تھا تم رکو گے نہیں۔

تم چلتے رہو گے۔

ہاں۔ تم وہی ہو۔ جس کا مجھے انتظار تھا۔

تم تو میری خوشبو کے راز دار ہو۔ میں نے تمہیں نہیں دیکھا تھا۔ مگر میری خوشبو تمہیں پہچانتی ہے۔ یہی خوشبو تو تمہیں کھینچ کے میرے پاس لے آئی ہے۔

یہ ساری پھول پتیاں۔ یہ ساری مہک تمہاری امانت ہے۔

میں اس امانت کا بوجھ اٹھائے اٹھائے تھک گئی ہوں۔

آؤ۔ میرے پکے ہوئے پھل، پھول توڑو۔

میرے سائے میں بیٹھ کے میری خوشبو سے باتیں کرو۔

تم بہت چلے ہو۔

بہت تھک گئے ہو۔

آؤ میری گود میں لیٹ جاؤ۔ میرے ٹھنڈے سائے میں سو جاؤ۔

آؤ میں تمہارے سارے سفر کی تھکن اتاروں۔ تمہارے تلوؤں پہ اپنے پھولوں کی پتیاں پھیروں، میرا سایہ صدیوں سے بنجر زمین پہ پڑ رہا ہے۔ یہ تمہارے گرم خون کی لذت سے انجان ہے۔

آؤ اس بنجر زمین کی گود ہری کریں۔

اس نے اپنے ہاتھوں کے گجرے ہلائے۔

سنہری پھول گرے۔

اور میں ان پہ چلتا ہوا۔

اس کی کھلی شاخوں میں پیوست ہو گیا۔

دھیرے دھیرے چکنی مٹی میں دبے اس کے گورے گورے پاؤں باہر نکلے اور میرے قدموں کے ساتھ مل کر چلنے لگے۔

پہلے دو قدم تھے۔

اب چار ہو گئے۔

فاصلہ جلدی کٹے یا دیر سے۔ اب اسے جلدی ہے نہ مجھے۔

دھوپ ہے سر پہ تو مشترکہ۔ سایہ ہے تو سانجھا۔ دھرتی کے سینے پہ دوسرا چکر ہے۔ مگر املتاس کے سائے میں۔

o

مسکراہٹ

ان دنوں اس کا کمرہ ہسپتال میں تھا۔

اور اس ہسپتال میں، میں اجنبی تھا۔ مگر مجھے وہاں بہت سے لوگ جانتے تھے۔ میں جاننے والوں سے چھپ چھپا کر اس کے کمرے کی چوکھٹ تک جاتا اور پھر پانی کے ایک قطرے کی طرح، جو بند ٹوٹی سے لٹک کے دھیرے سے کھسکتا ہوا ایک دم سے گر پڑتا ہے۔ اس کے کمرے کے اندر پھسل جاتا۔

دوائیوں کی شیشیاں، شربت، گولیاں اور کیپسول، پیلے کاغذ ایکسرے پر لپٹے ہوئے اور ان پر چمٹے سفید کاغذ اور کاغذ پر لکھی ہوئی رپورٹیں۔ سارے کمرے میں ہسپتال کا ماحول تھا۔ مگر اس کے چہرے پر بیماروں والی اداسی نہیں تھی کہ میں نے پہلے دن ہی اسے کہہ دیا تھا۔

کہ جب تم مسکراتی ہو تو بیمار نہیں لگتی۔ تمہیں صرف مسکرانے کے لیے بنایا گیا

ہے، تم صرف مسکرایا کرو کہ یہ نعمت بہت کم لوگوں کو ملتی ہے۔

یہ دکھ چار دن کا۔

تمہارا نہیں میرا ہے۔

کہ جب تم مسکراتی نہیں، تو میرا دل ڈوبتا ہے۔ ہاتھ پاؤں پھول جاتے ہیں۔ دکھائی کم دینے لگتا ہے۔ اداسیاں آ کر مجھ پہ بچھونا ڈال لیتی ہیں۔

تم مسکراؤ۔

اپنی اداسیاں۔ اپنے غم۔ اپنی ساری بیماریاں مجھے دے دو۔

انہیں ادھار نہ سمجھنا۔ نہ یہ امانتیں ہیں کہ میں کبھی ان کو لوٹانے آؤں۔ یہ مجھے عزیز ہیں اور ہمیشہ کے لیے مانگنے آیا ہوں۔ تم صرف مسکرایا کرو کہ جب تم مسکراتی ہو تو یقین آ جاتا ہے کہ ہر بیماری کا علاج ہے۔ ہر مرض کی دوا ہے۔

اور سچ تو یہ ہے۔

بیمار وہ نہ تھی۔ بیمار میں تھا۔

اور میری دوا تھی اس کی مسکراہٹ۔

اس کی مسکراہٹ جس میں شفا ہے، سلامتی ہے، سکون ہے۔

مگر وہ اچھی ہو گئی اور چلی گئی۔

اس کی مسکراہٹ کا سورج ڈوبے بغیر ہی کہیں بادلوں میں کھو گیا اور بادل چھٹنے سے پہلے ہی شام اتر آئی۔ رات چھا گئی۔ اس کی مسکراہٹ کا سورج گم گیا۔

میں اس لمبی رات کے سرہانے کب تک بیٹھوں۔ اس کی مسکراہٹ کے بغیر، مجھے نہیں لگتا اس رات کی کوئی سحر ہو۔

o

بس سٹاپ

بس سٹاپ پر کھڑے ہجوم میں نئے پرانے چہروں میں سے مجھے صرف اس کا علم تھا کہ اس کی اور میری بس کا نمبر ایک ہی تھا۔ دونوں ایک طرف جاتے تھے۔

راستہ ایک ہی تھا۔

فرق صرف اتنا تھا کہ میں پہلے کہیں اتر جاتا۔

اور وہ نہ جانے آگے کہاں تک جاتی۔

ایک دن مجھ پہ انکشاف ہوا کہ ہماری بس کا صرف نمبر ہی نہیں، ڈرائیور بھی ہمیشہ ایک ہی ہوتا ہے۔ ہم ہمیشہ ایک ہی بس میں ہوتے تھے، حالانکہ اتنی بسیں آتی جاتی تھیں۔

ایک صبح گھر سے نکلتے نکلتے مجھ کو کچھ دیر ہوگئی۔

بس سٹینڈ کی طرف بھاگتا ہوا آیا۔

اپنے روٹ کی مخصوص نمبر والی بس، سٹینڈ پر کھڑی نظر آئی۔

میں اور تیزی سے بھاگا۔

مگر اس کے دروازے تک ہاتھ نہ جا سکا۔

بس نکل گئی۔ تھوڑی سی سواریاں سٹینڈ پہ رہ گئیں۔

ان سب کی بس کا نمبر کچھ اور ہوگا۔ میں نے سوچا اور پریشانی سے پسینہ پونچھتے ہوئے ہولے ہولے واپس ہجوم میں سرکا۔ تو وہ ایک کونے میں سارے شہر کی بسوں سے لاتعلق سی ہو کر کھڑی تھی۔ اس کے چہرے پر چمکتی آنکھیں مجھے یوں تک رہی تھیں جیسے میرے ماتھے پر اس بس کے نمبر کی تختی لگی ہو۔

جو ابھی نکل گئی تھی۔

o

گیلی ریت

اپنا کیمرہ اس دن مجھے بہت اہم لگ رہا تھا۔

جیسے میرے وجود کا ایک اہم جزو ہو۔

اس روز اس میں پوری چھتیس تصویروں والی فلم صرف اس خیال سے ڈالی تھی کہ شاید اس کی ایک آدھ تصویر اس میں محفوظ ہو جائے اور صرف اسی کی ایک تصویر کو البم کے ہر صفحے پر لگا کر البم کو مکمل کر لوں۔

کیمرے تو کئی اور بھی تھے۔ مگر ان کیمروں کے پیچھے آنکھیں بھی اوروں کی ہونا تھیں۔ ان آنکھوں کے سامنے منظر خدا جانے کیا کیا ہوتے۔ مگر میری آنکھیں اپنے کیمرے کی آنکھ سے عہد کر چکی تھیں کہ ہماری دونوں آنکھوں کے سامنے اگر وہ دو آنکھیں نہ ہوئیں تو ہمارے دونوں کے وجود بے معنی ہوں گے۔ اس کی تصویر کے علاوہ تصویریں تو ہو سکتی تھیں مگر میرے کیمرے کی جو تصویر اس کی نہ ہوتی تو ضائع

ہوتی۔ چھتیس میں سے پینتیس تصویریں تک ضائع کر سکتا تھا۔ مگر ایک آدھ تو لازماً اس کی تصویر مجھے لینا تھی۔

ہماری کلاس کا ایک گروپ شہر سے باہر۔

دور سمندر کے کنارے

پکنک پہ جا رہا تھا

ایک لمبی خوبصورت نیلی، اونچی چوڑی سیٹوں والی بس تھی۔

لڑکے تھے لڑکیاں تھیں۔

ریڈیو، ٹیپ ریکارڈر، کھانے پینے کا سامان، ٹفن کیریئر، واٹر کولر، بھرے ہوئے چکنے چکنے لفافے، پھولے پھولے سے بیگ، مہکتی بھاری بھاری ٹوکریاں۔ سب کچھ تھا۔ سب مہک رہا تھا۔

خوش گوار موسم تھا۔

ہوا میں سمندر کی نمی تھی۔

نمکینی تھی۔

حالانکہ سمندر ابھی بہت دور تھا۔

مگر یونیورسٹی کے سارے کیمپس پہ چھائے نیلے آسمان سے برستی شفاف دھوپ میں بھی جیسے مچھلیاں تیر رہی تھیں۔

رنگ برنگی۔

مگر ساری کی ساری نمکین۔

بیسن میں تلی ہوئی جیسے۔

بس میں چڑھتے اترتے چہروں میں سے مجھے اس کا چہرہ بھی نظر آیا۔ وہ ایک بیگ اپنے کندھوں سے لٹکائے بس کی طرف لپک رہی تھی۔

''سنو!'' میں نے اسے روک لیا۔ وہ رک گئی، جیسے اسے توقع تھی کہ میں روکوں گا، جیسے اسے پتہ تھا، اس چوک کی بتی سرخ ہونے والی ہے۔

''بولو'' منہ میں چیونگم گھماتے گھماتے وہ یک لخت زبان روک کر سیپی جیسا منہ بنا کر بولی۔

جیسے منہ میں چیونگم نہ ہو۔

کوئی لعل ہو۔

اس کی آنکھوں کا رنگ ہی آج اور تھا۔

شاید اتنے قریب سے میں نے اسے آج ہی دیکھا تھا۔

عجیب ٹھنڈے شرارے سے اٹھ رہے تھے۔

جیسے شب برات کی بچی ہوئی کوئی مہتابی دوپہر کو جل رہی ہو۔

جیسے کہہ رہی ہو۔ کہہ دو۔ جو کچھ آج کہنا ہے۔ آج حد ادب نہیں۔

''یہ کیمرہ، فلیش، سٹینڈ۔ ایک ساتھ اٹھانا ذرا مشکل ہے۔''

''پھر''

''اسے ذرا اپنے بیگ میں رکھ لو۔''

''بس''؟

''بے شک بیگ مجھے دے دینا۔ میں اٹھا لوں گا۔''

''نہیں۔ یہ بات نہیں'' وہ میرے بدھو پن پہ مسکرائی۔

''پھر''؟

''ایک شرط ہے۔'' اس کی آنکھوں میں پہلی بار میں نے ستارے سے ٹوٹتے دیکھے جیسے انار چل رہے تھے۔ کوئی شرارت ابل رہی ہو۔ جیسے مدت سے جو وہ سننا چاہتی تھی۔ خود آپ کہنے لگی ہو۔

''بولو'' میں سانس روک کے سننے لگا۔

''کتنے ایکسپوژرز ہیں کیمرے میں۔؟''

''تھرٹی سیکس۔!''

''ابھی ڈالی ہے فلم۔''

''ہوں''

''میں سب کچھ اپنے بیگ میں رکھ لیتی ہوں۔مگر وعدہ کرو۔تم ساری تصویریں صرف میری کھینچو گے۔''

حیرت زدہ خوشی سے میں لرز گیا۔

جیسے ایک دم سارے ستارے،کلیاں سی بن کر میری جیب میں آ گئے ہوں۔وہ جنہیں میں دوربین سے دیکھا کرتا تھا۔

سارے لوگ جب بس میں چڑھ گئے تو بس چل پڑی۔

وہ میرے ساتھ کھڑکی سے چپک کر بیٹھی تھی۔

بس میں شور تھا۔

قہقہے تھے۔لطیفے تھے۔چھیڑ چھاڑ تھی۔کوئی اگر مجھے ایک آدھ دھپ مار کے چیخ کے کچھ کہتا۔تو میں مڑ کے سن لیتا۔مگر مجھے سمجھ پھر بھی کسی بات کی نہ آتی۔ایسے میں مسکرا کے دیکھنے والوں سے شرما کر آنکھیں نیچی کر لیتا۔گھورنے والوں سے آنکھ ہی نہ ملاتا۔

کھلی کھڑکی کے ٹھنڈے ملائم چوکھٹے میں وہ تصویر کی طرح جڑی بیٹھی تھی۔ کندھوں تک کٹے بال۔چہرے پہ پھیل کر عجب سائے سے پھیلا رہے تھے۔سارا شہر اس کے چہرے پہ اڑتے بالوں کی ہوا میں پیچھے سرک رہا تھا۔

اس کی آنکھوں میں نئی نئی سیپیاں سی کھل رہی تھیں۔

مدت سے پکے آتے لعل اور موتی اندر چمک رہے تھے۔

ہر لمحہ، نیا عکس ابھرتا۔ نیا لعل اگلتا۔

سارے عکس میری البم کے لیے تھے۔

اس کے پورے وجود میں میرے لیے توجہ تھی۔

آج پہلی بار۔ اس کی توجہ کو اتنا قریب پایا تو ہاتھ پاؤں بھول گئے۔ مدتوں سے اسے سوچتا آیا تھا۔ دور دور سے دیکھتا آیا تھا۔ آج وہ ان سب کا جواب دینے پہ تلی تھی۔ ہونے کو ادھر ادھر کی باتیں ہوتی، پر ہر بات کے اندر ہی کوئی بات ہوتی۔ جیسے سیپی میں لعل۔

کھڑکی سے باہر۔ پیچھے پھسلتی ہوئی عمارتیں اور دور چمکتا ہوا سمندر کا کھلا سینہ مجھے نظر آ رہا تھا اور سارے ماحول کے چوکھٹے پہ اس کا چہرہ۔

جیسے سورج نکلتے نکلتے وہیں رک کے رہ گیا ہو۔

مجھے ایک دم سے ہاتھوں میں کیمرے کی ضرورت کا احساس ہوا۔

''ذرا۔ نکالوں۔ بیگ سے کیمرہ۔ ہو جائے ایک آدھ سنیپ۔

یہیں اڑتے ہوئے بالوں کے ساتھ''

''وہاں اتر کے، جی بھر کے کھینچنا۔ اڑا لینا بال بھی''

پاس بیٹھے بیٹھے میرے ہاتھوں کی ہتھیلیاں ٹھنڈی ہو رہی تھیں۔ میں لمبی آرام دہ کرسی کے دائیں طرف لگے بٹن کو دبا کے کبھی آگے ہوتا۔ کبھی پیچھے۔ مگر وہ کھڑکی کے ٹھنڈے چوکھٹے پہ ٹھوڑی ٹکائے۔ اپنے بال اڑاتی رہی۔

''ہاکس بے'' پہ پہلے بھی میں کئی بار آیا تھا۔

مچھلی کے چانوں کی طرح چمکتے دوپہر کے سورج۔

شام کے گلابی بادلوں کے نیچے پگھلتے ہوئے پانی میں ڈوبتا ہوا سورج۔

پتھروں پہ پھیلی ہوئی پیلی دھوپ۔

اور ریت پہ بھاگتے ہوئے لمبے لمبے سایوں کی بہت تصویریں لے چکا تھا۔

مگر اس روز، جیسے وہ سارا کھلا سمندر آؤٹ آف فوکس ہو رہا تھا۔

گونجتی ہوئی، اڑتی چلی آتی، اونچی اونچی لہریں کناروں پہ آ کے قدموں میں بکھر جاتیں۔

ننگے پیروں کے نیچے گدگدیاں کرتیں۔

اسفنج کی طرح دبتی، بھرتی، گیلی ریت۔

بکھرے بڑے بڑے کالے پتھر۔ جن پہ سبز کائی کی پھسلن اور لال لال کیکڑے۔ جمی ہوئی سیپیاں، اپنے اندر چھپے ہوئے ہزاروں سانسوں کے ساتھ چاروں طرف تھیں۔ مگر سب کچھ فالتو لگ رہا تھا۔ ضمنی لگ رہا تھا۔

ہر تصویر میں پیچھے منظر تو یہی کچھ ہوتا، مگر نظروں میں صرف وہ ہوتی۔

ریت پہ بھاگتے۔

پتھروں پہ کیکڑوں سے بچ بچ کر بیٹھتے۔

سنبھل سنبھل کر چلتے۔

پانی کی لہروں میں پھسلتے۔

چھینٹے اڑاتے۔

میں مسلسل کھٹ کھٹ تصویریں لے رہا تھا۔

کیمرے کی آنکھ کے پیچھے میری آنکھ تھی اور سارا زمانہ صرف اس کی آنکھوں میں تھا اور میں زمانے کی تصویریں لے رہا تھا۔

ایک بار۔ ایک بڑی لہر بھاگتی۔ چمکتی چلی آئی۔ پانی کی لہر ایک لمحے کے لیے ہم دونوں کے اوپر سے گزر گئی۔ میں نے کیمرے والا ہاتھ اوپر کر لیا۔ لہر پلٹی تو میں نے اس

کے گیلے نمکین بدن کی کئی تصویریں لے لیں۔

لڑکے لڑکیوں کے گروپ سے آہستہ آہستہ نکل کے ہم کافی دور چلے آئے۔ پتہ نہیں کیوں۔ اس روز کچھ کہنے اور سننے کو جی نہیں چاہتا تھا۔ جیسے ساری باتیں ہو چکی ہوں۔ جیسے کچھ بھی طے ہونا باقی نہ ہو۔

ہر تصویر میں اس کی مسکراہٹ تھی۔

شرارت تھی۔

انداز تھا۔

ادا تھی۔

میرا سارا وجود کیمرے کی آنکھ کے اندر کے چوکھٹے میں چھپا ہوا۔ صرف کھٹ کھٹ کر رہا تھا۔ تصویروں کا رول ایک طرف سے دوسری طرف لپٹ رہا تھا۔

ایک دو بار۔ کیمرہ سٹینڈ پہ لگا کے۔ صرف اس کے چہرے کو فوکس کر کے۔ ایک دو بٹن دبا کر۔ گھرر۔ گھرر۔ کی ہلکی ہلکی سرگوشیوں میں۔ بھاگ کر اس کے چہرے کے ساتھ، اپنا چہرہ لگا کر، میں نے خود بھی کیمرے کو دیکھا۔ اور کھٹ کی آواز سنی۔

اور کئی بار پتھروں میں چھپ چھپ کر۔

چٹانوں پہ چڑھ چڑھ کر۔

کیمرے کی بھی آنکھوں سے آنکھ بچا کر، ایک دوسرے میں پناہ لی۔ اس کی چمکتی آنکھوں میں سارے نیلے سمندر کی گہرائی اور عکس تھا اور میرا پورا وجود ایک شارک کی طرح اس میں تیرتا پھر رہا۔ سمندر کے نمکین، شفاف چمکتے پانی نے ہمارے ذائقے بھی بدل دیئے۔ وہ اپنے ہونٹوں پہ گلابی سرخی لگا کے آئی تھی۔ بس میں اس کے ہونٹوں کی سرخی کو سونگھ کے میرے ذہن میں جو ذائقے ابھر رہے تھے۔ وہ سارے شہد اور صندل سے ملتے جلتے تھے۔

مگر یہاں سب کچھ سالٹش تھا اور میں سوچ رہا تھا۔ واقعی میٹھی چیز اتنی کھائی نہیں جاسکتی جتنی نمکین۔

جس میں سمندر جیسی آفاقیت ہے۔

اس کے وجود میں بھی سارے زمانے کی نفی تھی۔

جیسے پورے سمندر میں ایک وہی مچھلی تھی۔

جیسے پورے ساحل پہ صرف میں ہی ایک مچھیرا تھا۔

کھانا کھانے کے لیے ہم پھر بس کے قریب آئے۔ اپنے اپنے بیگ اور ٹفن کھول کھول کر ادھر ادھر بکھر گئے۔ ٹفن بند کر کے ایک طرف کو آئے تو دو تین لڑکیاں اور ہمارے ساتھ چلیں آئیں۔

ساحل کی مخملی گیلی ریت پہ چلتے چلتے۔ میں اپنے قدموں کے نشاں کے ساتھ ساتھ ان کے قدم بھی ناپنے لگا۔

اڑتی لہریں ہم سب کو اکٹھے بھگوتی رہیں۔ مگر پتہ نہیں کیوں۔ اس کے چہرے پہ پانی خشک ہونے لگا۔ صرف نمک نمک رہ گیا۔

پتھروں کی سلوں کے درمیان، ایک بڑے سے شگاف کے نیچے ہم تھک کے بیٹھ گئے۔

پانی کی چمک۔
نمکین ٹھنڈی ہوا کے جھونکے۔

اور میٹھے میٹھے گلابی گلابی ہونٹوں کی خوشبو۔

صرف ایک لمحے کے لیے۔ وہ آؤٹ آف فوکس سی ہوگئی۔

دونئی لڑکیوں میں سے ایک کی لپ اسٹک کچھ زیادہ شوخ تھی۔
گیلی گیلی سی۔

جیسے روح کیوڑہ اور الا ئچیوں سے بنی ٹھنڈی فریج میں لگی ہوئی۔

گلابی گلابی کسٹرڈ۔

کسٹرڈ بولی۔ ایک میری تصویر کھینچیں گے۔ اس چٹان کے اوپر جا کر۔

چلو۔

میں اسے دیکھے بغیر۔ کسٹرڈ کے پیچھے پیچھے اوپر چڑھ گیا۔

سنبھل سنبھل کے چڑھتی۔ وہ گلابی لپ اسٹک غار کے اوپر پتھروں سے لپٹ کر بیٹھ گئی اور تیز میٹھے گلابی سانسوں سے سارے سمندر کی ٹھنڈی نمکین ہوا کو کشید کرنے لگی۔

کیمرے کے چوکھٹے میں صرف یہ نیا رنگ تھا۔ میں نے درمیانی دائرے میں اس کے بکھرے ہوئے عکس کو یکجا کیا اور کھٹ سے شٹر کھلا اور بند ہو گیا۔ اس کا ہاتھ پکڑ کر میں سہارا دیتا۔ اسے نیچے لایا۔

غار کے دھانے پہ وہ سر جھکائے ہم دونوں کو اترتے ہوئے دیکھ رہی تھی۔

ایک لمحے کے لیے اس نے سر اٹھایا۔

خاموش سپاٹ چہرے پہ اس کے نمکین ہونٹ ہلے۔

بولی۔

ایک تصویر میری بھی ہو۔ وہیں اوپر۔

میں نے کیمرے کے لیور پہ انگوٹھا مارا اور مایوس ہو کے بولا۔

ختم، تصویریں ختم۔

اور فلم کو واپس ایک طرف رول کرتے ہوئے، کیمرے کو واپس کور میں بند کر کے اس کی طرف بڑھا دیا۔

بیگ میں رکھ لو۔

اس نے کیمرہ میرے ہاتھ سے لے لیا۔ کور سے اسے باہر نکالا۔ کچھ دیر اسے الٹ پلٹ کے دیکھتی رہی، کچھ سوچتی رہی اور پھر اچانک کھڑاک سے کیمرے کا دروازہ کھول کے ساری فلم کو باہر کھینچا اور سمندر کی گیلی ریت پہ اچھال دیا۔

o

نیند

رات کا پہلا پہر تھا۔

وہ اپنے کمرے میں اپنی چارپائی پہ بغیر چادر لیے سو رہی تھی۔

سرہانے سے پراندی تک پورا بستر اس سے لبالب بھرا ہوا تھا۔

آدھی چارپائی پہ اس کے کھلے بال تھے۔ ہر بال مہک رہا تھا۔ ان سیاہ ریشمی بالوں کی خوشبو میں الجھی، اس کے جسم میں پھنسی، کھنچی، مڑی چڑی اس کی قمیض کے بخیے تنے ہوئے تھے۔ جیسے اندر طوفان رکے ہوئے ہوں۔

ایک بازو کا سرہانہ تھا۔

دوسرا ہاتھ کمر کے بل پہ تھا۔

ذرا سی کروٹ۔

ذرا سی سیدھی۔

کولہے بہت اوپر اٹھے ہوئے تھے۔

ٹانگیں الجھی ہوئی تھیں۔

پاؤں اوپر نیچے تھے۔

نیند کے سانسوں سے اس کا سینہ بھرا ہوا تھا۔

ہر سانس سے اس کے انگارے سے ہونٹ اور دہک جاتے۔

سوجھ جاتے۔

مگر پھر بھی گیلے گیلے رہتے۔

جیسے وہ موم سے بنے ہوں۔

اور شہد ٹپک رہا ہو۔

اس کی بند آنکھوں کے بھاری پپوٹوں کے کناروں پہ لگی سیاہ پلکوں کی جھالر سے

کاجل پھیل رہا تھا۔

رات گہری ہوتی جا رہی تھی۔

ایک آتش فشاں پہاڑ کی طرح اس کے اندر ایک طوفان تھا۔

آگ ابل رہی تھی۔

اور بادل برس رہے تھے۔

سارے ماحول پہ اس کے جسم کی جوانی کا نشہ اور اس کی نیند کا خمار پھیلا ہوا تھا۔

اور پورے کمرے سے پکے ہوئے پھلوں کی مہک آ رہی تھی۔

میں اس کے کمرے میں ننگے پاؤں آیا تھا۔

کہ آہٹ نہ ہو۔

میں نے اندر سے کنڈی لگا لی۔

دھیرے دھیرے پنجوں کے بل چلتا ہوا۔

اس کے بیڈ پہ چڑھ گیا۔

اور بیڈ کے ایک کونے میں بیٹھ کر صبح تک اسے تکتا رہا۔

o

پھول مسہری

وہ رنگ اور خوشبو کے سمندر میں بے خبر لیٹی پڑی تھی اور موت اس کی طرف دوڑی آ رہی تھی۔ رنگ اور خوشبو سے اس کا پرانا ساتھ تھا۔ سارے رنگ اس سے اور رنگوں کی خوشبو سے وہ واقف تھی۔ میلوں پھیلے ہوئے، شوخ رنگوں سے مہکتے جنگل لیکن اس کی ملکیت نہ تھی۔

جس کی ملکیت تھے۔ وہ اس کے لیے کانٹے الگ کر کے۔ رنگ چرایا کرتی تھی۔ خوشبو کو سجایا کرتی تھی۔

گیلے گیلے رنگ۔

اندھیرے اور اجالے کے الگ الگ ہونے سے پہلے پہلے گھٹنے ٹیک کے۔

مقدس تسبیح کے بکھرے دانوں کی طرح۔

گن گن کے وہ اکٹھا کرتی۔

جھولیاں بھر بھر کے اٹھا کے لاتی۔

جیسے اپنے ہاتھ سے مورتیاں بنا کے، انہیں مندر میں سجانے چلی ہو۔

جہاں سر جھکانے کی اسے خود اجازت نہ ہو۔

شاید اسے علم تھا۔ وہ جانتی تھی کہ رنگ، خوشبو اور ہوا تو روز مشرق سے طلوع ہوتی اس روشنی کے سوا کسی کی جاگیر نہیں، جو روز مغرب کی اوٹ میں چھپ کر اپنا نام بدل لیتی ہے اور مشرق اور مغرب تو صرف ان کے ہوتے ہیں، جن کے سجدوں کا رخ ان کی طرف ہوتا ہے۔

ایک شام وہ پھول لے کر آئی۔

ڈیوڑھی سے دالان۔

پھر محل کی بھول بھلیاں

راستے میں پھول بچھاتی چلتی۔ وہ محل کے بیچوں بیچ پھول پتیوں رنگوں اور خوشبو سے بندھے ہوئے بستر پہ آئی اور شاہی مسہری پہ پھولوں کی ان چھوئی پتیاں بچھانے لگی۔ اس کا کام پھول لانا اور بچھانا تھا۔ وہ شاہی مالی کی بیٹی تھی۔ شاہی محلات کے پھولوں کے پکے رنگوں اور رنگوں سے نچڑنے والی خوشبو سے اس کا پرانا ساتھ تھا۔ لعل، جواہر سے جڑے، سونے چاندی کے شاہی بستر پہ پھولوں کی چادر بچھانا اس کا روز کا معمول تھا۔ مگر اس دن عجیب حادثہ ہو گیا۔ اس نے بستر پہ پھول بچھائے اور پھر خود لیٹ گئی۔

خوشبو کا کیف تھا۔

یا رنگوں کا ابال۔

وہ لمبے لمبے سانس لیتی اونگھنے لگی۔

سارے محل میں کہرام مچ گیا۔

ایک بے رنگ، بوسیدہ باندی کی یہ ہمت۔

تاجور کا بستر اور بدذات کی گستاخی۔

رنگ اور خوشبو کے جہاں کا جہاں بان۔ اونگھتا اس طرف آ رہا تھا۔

اس کے کان میں کسی نے سرگوشی کی۔

اس کے نتھنے پھیل گئے۔ آنکھیں سرخ ہوگئیں۔ نیند اڑ گئی۔

پھول پتیوں کو مسلتا، دانت پیستا، پیر پٹختا وہ بھاگا آیا۔

پھول مسہری کی پھول پتیوں کی مخملیں دبیز تہہ پر۔

وہ بے ہنگم، گندی، میلی بکھری پڑی تھی۔

آنکھیں بند، ہاتھ کھلے۔

اور ہاتھوں پر سارے پھولوں کے کانٹوں کے نشان۔

جن پہ ہر روز کھرنڈ آنے سے پہلے ہی اتر جاتا تھا۔

شوؤں۔ شوؤں۔

جہاں دار کے ہاتھ کی چھڑی پھنئیر سانپ بن گئی۔

پھنئیر سانپ کے زہر میں بھی عجیب نشہ تھا۔ ایک ڈنگ اسے جگاتا۔

دوسرا پھر سلا دیتا۔

شاید اس کی آنکھوں میں نیند باقی تھی۔ صدیوں کی رت جگی تھی۔

عجیب خمار تھا۔

رنگ اور خوشبو کے پرانے ساتھ کا۔

جو صرف کانٹوں کے دیس تک تھا۔

رنگ چنے اور چن دیے۔

کوئی آیا اور مسل گیا۔

شوؤں۔شوؤں۔

کھال ادھڑنے لگی۔

اس کا لہو۔ پھول پتیوں کو رنگ دینے لگا۔

اس نے مسکراتے ہوئے، سانپ کی آنکھوں میں آنکھیں ڈال کے کہا۔

تھوڑا سا زہر تو بچا لے۔

میں تو چند لمحوں کی مجرم ہوں۔

ہزار ہا راتوں کا حساب کیسے چکائے گا۔

o

شاہد حنائی

اردو افسانے کا ساحر...... ابدال بیلا

برسوں پہلے رائیڈرڈ ہیگرڈ کا ایک ناول (ترجمہ مظہر الحق علوی) ''نیل کی ساحرہ'' پڑھا تھا۔ موضوع پر گرفت، الفاظ کی بنت، مشاہدہ کا جو انداز یہاں اس ناول میں ملا وہ پھر پڑھنے کو آنکھیں ترس گئیں۔ حرف حرف داد سمیٹنے اور سطر سطر چونکانے کا فن پھر دیکھنے کو نہ ملا۔ اردو شاعری، افسانہ، ناول تاریخ، صحافت تمام اصناف نگاہوں سے گزرتی رہیں ایسے میں ڈاکٹر ابدال بیلا کا نام نظروں کے سامنے آیا۔ ''سن فلاور'' ابدال بیلا کے مختصر افسانوں کا دوسرا مجموعہ ہے۔ جوں جوں ''سن فلاور'' کے اوراق پلٹتا ہوں یوں محسوس ہوتا ہے کہ گویا میری تلاش نے مراد پالی ہو۔ جیسے انتظار کو منزل مل جائے۔

''سن فلاور'' میں ابدال بیلا نے اپنی الگ دنیا بسائی ہے۔ لفظوں کے جال بنتے بنتے ابدال بیلا نے بڑے دلفریب مناظر تصویر کر دیئے ہیں۔ ان کی ہر کہانی ظاہرو

باطن کا عکس ہے۔ کبھی سرگوشی کی صورت کبھی چیخ کے روپ میں اپنا احساس دلاتی ہے۔

ہمارے ترقی پسند، جدید، رومانوی، تاریخی، اصلاحی تحریریں لکھنے والوں کی تو طویل فہرستیں ملتی ہیں۔ لیکن فلسفہ اور نفسیات کی طرف نظر ڈالیں تو بہت بڑے خلا کا احساس ہوتا ہے۔ بلکہ میں تو یہ کہوں گا کہ ان موضوعات کی طرف تحقیق اور تراجم کرنے والوں نے بھی خاطر خواہ توجہ نہیں دی۔ اگر چند نام دکھائی دیتے ہیں تو انہیں آپ دو طبقوں میں تقسیم کر سکتے ہیں۔

ایک طبقہ تو وہ ہے جسے ہم لوگوں نے خواہ مخواہ مفکر، دانشور، فلسفی کے لقب دے دے کر نشریاتی و اشاعتی میڈیا پر قابض کروادیا ہے اور دوسرا طبقہ وہ ہے جو اپنے مخصوص نظریات کا پرچار کرتے کرتے لکھاری سے زیادہ مبلغ، مصلح کا کردار ادا کرنے لگتے ہیں۔ ایسے میں ابدال بیلا کی کہانیاں حوصلہ بن جاتی ہیں۔

ابدال بیلا اردو افسانے کا معروف نام ہے اور خوش آئند پہلو یہ ہے کہ انہوں نے ادب کو برائے ادب اور برائے اصلاح کے طور پر لیا ہے۔ ان کی کہانیوں میں سادہ لفظ گہری باتیں بولتے ہیں۔ انہوں نے وہ باتیں کہی ہیں جو ہم ہر روز دیکھتے ہیں، سہتے ہیں،

لیکن کبھی اشارہ نہیں کرتے، کبھی لب نہیں کھولتے۔

ایسے میں ابدال بیلا کی کہانیاں باشعور قاری کو چونکا دیتی ہیں۔

رلا دیتی ہیں۔

ابدال بیلا نے سن فلاور میں منفرد لہجہ اپنایا ہے۔

یہ لہجہ نہ صرف قاری کو متاثر کرتا ہے بلکہ قاری کے ذہن پر چھا جاتا ہے۔

پہلی نظر میں ابدال بیلا کے افسانوں پر پہیلیوں کا گمان گزرتا ہے لیکن غور کرنے پر اعتراف کرنا پڑتا ہے کہ انہوں نے وہ سچ بولے ہیں جو ہم خود سے قبول کرتے

ہوئے بھی ڈرتے ہیں۔ قاری جیسے جیسے افسانے کو اس کی روح کے مطابق سمجھتا جاتا ہے اپنے گرد کہانی کا ماحول اور کردار زندہ پاتا ہے۔

ابدال بلا کی کہانیاں پڑھنے والا کبھی خود کو ظالم سمجھنے لگتا ہے اور کبھی مظلوم۔ ایسا شاید اس لیے بھی ہے کہ ابدال بیلا نے انسانی عظمتوں اور خطاؤں کی کمنٹری کرنے کی بجائے ان کی وجوہات اور اثرات کی طرف نشاندہی کی ہے۔ انھوں نے یہ راہ شاید اس لیے اپنائی ہے کہ ہم گزری کل سے سبق حاصل کریں اور آنے والی کل کے لیے کچھ اچھے خواب بچا رکھیں۔

ابدال بیلا کی اک نمایاں خوبی ان کی کہانیوں کا انتہائی اختصار ہے۔ انھوں نے اس قدر مختصر کہانیاں لکھی ہیں کہ ''سن فلاور'' اختصار کی مثال بن گئی ہے۔ انھوں نے اکثر افسانے ایک ایک دو دو صفحوں پر مکمل کیے ہیں۔ اس اختصار میں ایسی جامعیت اور مہارت نظر آتی ہے کہ باشعور قاری ساحر لدھیانوی کی شاعری کی طرح بار بار پڑھتا ہے اور ہر بار نئے مفاہیم کے در اس پر کھلتے ہیں۔

ابدال بیلا نے ''پھول مسہری'' جیسا افسانہ لکھ کر اردو افسانے کا قد بڑا کر دیا ہے۔ اگر آپ ''پھول مسہری'' پڑھیں تو جان جائیں گے کتنے ادوار کتنی تہذیبیں، کتنے معاشرے کتنے سماج اور سامراج ابدال بیلا نے تین صفحوں پر نقش کر دیے ہیں۔ بلاشبہ ''سن فلاور'' میں اکثریت ایسی کہانیوں کی ہے جو قلم سے ہرگز نہیں لکھی جاتیں بلکہ ان سطروں کے پیچھے لکھنے والے کا احساس، شعور، مشاہدہ، مطالعہ جھلک رہا ہوتا ہے اور یہی وہ ادب ہے جس کی تخلیق کا برسوں انتظار کیا جاتا ہے اور صدیوں قومیں اس سے راہنمائی پاتی ہیں۔

میں اردو ادب کو بیک وقت دنیا کا خوش قسمت اور بدقسمت ادب کہا کرتا ہوں۔ مجھے اردو ادب میں وہ حسن، کشش نظر آتی ہے جو انگریزی، جرمن، روسی کتابوں میں

خال خال نظر آتی ہے۔ بدقسمتی کا افسوس ناک پہلو یہ سمجھتا ہوں کہ ہمارے ہاں تخلیق کی بجائے تخلیق کار کو محترم جانا جاتا ہے۔ اگر شاعر یا افسانہ نگار کسی بڑے ادبی پرچے کا مدیر ہو، کسی اعلیٰ سرکاری عہدے پر فائز ہو، اس کی پشت پر کسی ادبی ستون کا دست مبارک ہو تو ہر طرف سے تعریف و داد و تحسین کی صدائیں گونجنے لگتی ہیں۔ برعکس اس کے اگر آپ کا تعلق کسی ادبی گروپ سے نہیں۔ آپ کسی اشاعتی ادارے سے وابستہ نہیں تو آپ شاہکار لکھ کر بھی گمنام رہیں گے۔ ابدال بیلا ہمارے افسانوی ادب کا وہ بڑا نام ہے۔ جس کے باعث اردو کو خوش بخت کہا جا سکتا ہے۔

میرے نزدیک ابدال بیلا کا نام ان افسانہ نگاروں میں شامل ہے جن کا نام انگلی پکڑ کر مخصوص فضا میں لے جاتا ہے۔ کچھ دیر تو قاری اجنبیت سے گھبرانے لگتا ہے پھر جب قاری اس ماحول سے آشنا ہوتا ہے تو وہ یہیں ٹھہرنا چاہتا ہے۔

ہمارے ہاں جو افسانہ لکھا جا رہا ہے اس میں افسانہ نگار کے لیے کئی لوازمات عنوان سے اختتام تک ہمراہ رکھنا لازمی ہو گیا ہے۔ جس میں افسانے کے اندر کہانی پن، لفظوں کی بنت، قوت مشاہدہ، بیانیہ تاثر اور اختتامی تاثر شامل ہیں۔ عموماً یہ دیکھا گیا ہے کہ افسانہ نگار جب ان تمام تقاضوں کو پورا کرتا ہے تو افسانہ، افسانہ پن سے بہت دور چلا جاتا ہے۔ ایسا افسانہ اس جھنڈے کی طرح ہو جاتا ہے جسے سجانے کے شوق میں بچے لڑیاں، موتی، جھالریں، گوٹہ کناری، زری وغیرہ سے لاد دیتے ہیں۔ شاید آپ نے محسوس کیا ہو کہ ایسا جھنڈا بہت خوبصورت ہوتے ہوئے بھی کسی سادہ جھنڈے کا مقابلہ نہیں کر سکتا کیونکہ بہت زیادہ سجاوٹ لہرانے کے عمل کو روک دیتی ہے۔ ابدال بلا کے افسانے پڑھ کر سادگی، سچائی، احساس کے سوا کوئی غیر ضروری موجودگی محسوس نہیں ہوتی۔ ان کی کہانیوں میں یہ مثبت احساس بار بار ملتا ہے کہ لکھنے والے نے اپنے قاری کو کوئی کمی، کوئی خلا نہیں دیا اور کوئی طوالت نہیں دی جو گراں

گزرے۔ تمام الفاظ انتہائی قرینے سے چنے گئے ہیں اور انہیں ان کے حقیقی مقام پر لکھا گیا ہے۔ افسانوں کے عنوان، موضوع زبان اور کہانی سمیت تمام باتیں بروقت اور برمقام دکھائی دیتی ہیں۔

ابدال بیلا نے ابھی بہت کم سفر طے کیا ہے اور طویل مسافتیں ان کی منتظر ہیں۔ لیکن ان کی رفتار اور ثابت قدمی دیکھ کر یقین ہو جاتا ہے کہ وہ منزل تک ہی نہیں اس سے بھی بہت آگے جانے کا حوصلہ اور حق رکھتے ہیں۔ وہ کوئی مبلغ، ناصح، مصلح، پیامبر نہیں۔ بس اس معاشرے کے عام سے فرد ہیں جو دیکھنے کو آنکھیں اور جلنے کو دل رکھتے ہیں۔ ہاں ان میں یہ خوبی ضرور ہے کہ ان کی انگلیاں سوچوں، جذبوں، خواہشوں، حقیقتوں کو لفظوں کا روپ دینے کا سلیقہ جانتی ہیں۔ ہماری دعا ہے کہ ابدال بیلا اس مثلث کے سہارے اپنا ادبی قد اور قوم کا فکری شعور عروج کی طرف بڑھاتے چلے جائیں۔

شاہد حنائی

۱۹۸۷ء

عالمی شہرت یافتہ، ممتاز ناول نگار

ابدال بیلا کی کتابیں

سیرتِ پاک ﷺ

- آقا ﷺ

ناول (اُردو)

- دروازہ کھلتا ہے
- ماؤ میووال
- سائیں بگو شاہ
- دہلی کی ارجمند بانو
- تم
- جادونگری
- ٹرین ٹو پاکستان

ہندی ترجمہ (ناول)...... مترجم: ڈاکٹر کیول دھیر، انڈیا

- دروازہ کھلتا ہے
- ندی کنارے
- شاہ سائیں
- لال قلعہ
- تم
- ارمیلا
- بٹوارا

افسانوی مجموعے (اُردو)

- انہونیاں
- سن فلاور

- رنگ پچکاری
- زیرلبی
- عرضی
- لب بستہ
- بوندا باندی
- بین بجاؤ
- بیلا کہانی
- ابدالیات

رپورتاژ (اُردو)

- پاکستان کہانی

انتھالوجی، شخصیت (اُردو)

- مفتی جی

سندھی ترجمہ (افسانہ)......مترجم: نیاز ندیم کندھر

- سن فلاور

پنجابی اور گرمُکھی (افسانہ/شاعری)......مترجم گرمُکھی: افضل راز

- کیکراں ہیٹھ کُلی، گنے دی پوری

ڈینش ترجمہ (افسانہ)......مترجم: نصر ملک، کوپن ہیگن

- ابدال بیلا کی کہانیاں

نیپالی ترجمہ (ناول)......مترجم: گیتا ترپاٹھی، کھٹمنڈو

- تم

انگریزی ترجمہ (افسانہ)

Hunderd Short Stories by Abdaal Bela

Translation by Prof. Sajjad Sheikh

سنگ میل پبلی کیشنز، لاہور